捕捉儿童敏感期

（珍藏版）

孙瑞雪 编著

中国妇女出版社

图书在版编目（CIP）数据

捕捉儿童敏感期 / 孙瑞雪编著 . --北京：中国妇女出版社，2013. 1

ISBN 978 - 7- 5127- 0573- 9

Ⅰ. ①捕… Ⅱ. ①孙… Ⅲ. ①儿童教育—家庭教育 Ⅳ. ①G78

中国版本图书馆 CIP 数据核字（2012）第 285555 号

捕捉儿童敏感期（珍藏版）

作　　者：孙瑞雪　编著
责任编辑：刘　冬
封面设计：吴晓莉
封面绘画：张翘楚（宁夏蒙特梭利国际学校）
责任印制：王卫东
出　　版：中国妇女出版社出版发行
地　　址：北京东城区史家胡同甲 24 号　邮政编码：100010
电　　话：（010）65133160（发行部）　65133161（邮购）
网　　址：www. womenbooks. cn
法律顾问：北京天达共和律师事务所
经　　销：各地新华书店
印　　刷：北京通州皇家印刷厂
开　　本：170×230　1/16
印　　张：16. 25
插　　页：4 面
字　　数：290 千字
版　　次：2013 年 4 月第 1 版
印　　次：2017 年12月第 32 次
书　　号：ISBN 978 - 7- 5127- 0573- 9
定　　价：38. 00 元（软精装）

这是“爱”孩子的书，而不是“教”孩子的书！

著名儿童教育专家孙瑞雪告诉你

真正的教育，真正的爱

作者简介

孙瑞雪　中国著名的教育家、儿童心理学家；

"爱和自由、规则与平等"教育精神的创始人；

"完整的人和完整的成长"教育思想的创始人；

"儿童敏感期理论"的创始人；

专著《爱和自由》《捕捉儿童敏感期》《完整的成长》开创了中国幼儿教育界的新纪元；

多次做客中央电视台"人物新周刊""心理访谈"半边天"等栏目，讲述"爱和自由"的教育；

2009年，被评选为"中国教育杰出人物"；

2006、2007年，中央电视台走进孙瑞雪教育机构幼儿园，连续拍摄16集《敏感期》专题片。

在孙瑞雪老师的带领下，"爱和自由"教育团体深深根植于中国本土文化，以蒙特梭利、卢梭、皮亚杰等经典教育学、现代心理学理论为基础，在18年高度专注的教育实践和科学研究中，创造、建构、发展和完善了"爱和自由、规则与平等"的思想理论系统、教育教学系统、"完整的人和完整的成长"的教育思想系统、敏感期理论系统以及"爱和自由"学校教育体制和教学管理系统。

爱和自由育儿网：http://www.love-freedom.com/
孙瑞雪博客：http://blog.sina.com.cn/0lovefreedom0

谨以此书献给王爱全先生

我们最初的校舍，
是王爱全先生所在的公司提供的。
这不仅是一处校舍，
这是我们追寻教育理想的精神家园，
也是千万个孩子健康成长的乐园，
王先生 15 年前的那个决定因此具有了历史意义。
对一个改变了很多人命运的人，
语言无法表达我们的敬意与感激。

第二版 序[1]

今天是教师节，在这倾心的夜晚，我又听到了老师们的歌声，又见到了老师们的舞姿。他们在欢度自己的节日。现实中的舞和歌虽然不像专业舞台和影视屏幕上的那样唯美，却近在咫尺，亲近自然，更美轮美奂，让人陶醉。

虽说是老师，他们几乎都是二三十岁的年轻人。绝大部分是女孩，只有几个是男孩。

这些老师具有我没有想到的潜力、活力和创造力。看到这些仅经过简单编排就上场的动人的节目，看着这些美丽俊朗的面庞，我的心间不时涌动另一个情景——那是1996年的中秋节，二三十个老师来到黄河边聚会。老师们吟唱与月亮有关的歌，一首接一首地唱，竟然唱了一个晚上，伴着波光粼粼的河流和习习的凉风，从月亮升起唱到天明。那么多的歌，那么多的情。

让我陶醉的还有老师们写的文章。这就是我们面前的这本书，它由老师和家长所写。这是心灵更美妙的舞步和歌声。这里有青春，有激情，有清纯，有爱，有向往……这些文章小有才气，就像那骄阳、皎月、树林和湖湾，以及火热又平凡的生活。

更让人陶醉的是这些文章中的主人公——孩子们。他们可爱的身影跃然纸上。当我们通过这些文章看到天使般的孩子们欢快地奔跑和欢乐的笑脸，看到他们不仅无忧无虑，而且充满甜蜜的生活，看到孩子们幸福的童年，又有谁能不陶醉？

我们就是要为着这样的目标而工作。我们的老师用他们的心灵去实现它，他们的文章直接见证了孩子们的生活和成长。

是新的思想让我们有了一双新的眼睛。过去不能看见的，不知道的，现在能看见了，能知道了。敏感期是我们看见童年秘密的一面。我们，尤其是家长们，过去可能会为孩子的努力学习和成绩的优异陶醉，会为孩子莫名的情绪担心，会为孩子说的“不”焦虑……

---

① 书中大部分插画选自宁夏蒙特梭利国际学校孩子的绘画作品。

现在，懂得了敏感期的概念，就不同了，我们会耐心等待孩子，会为孩子的完美需求提供理解和支持，会为孩子的每一种状况欣赏和陶醉。敏感期理论为孩子们开拓了一个崭新的成长环境。

孙瑞雪教育机构构建的教育和科研一体化的模式，不仅使教育走向科学化的轨道，也给老师们搭建了展示他们美好心灵的别样的舞台。在科学教育思想的平台上，观察、思考和写作，原则上都是教师们的工作任务。他们也有自己的阵地，发表他们的作品来和家长、教师和大家共享，它就是《科学启蒙》（月报）。本书中的很多文章都是先发表在这个小报。如果有一本杂志就更好了。在这些作品中，老师们用语言来素描孩子们的生活，用语言描述感受和体验，用语言确定学习和研究的内容，明确和深化认识，为以后的科研能力打基础和做准备。他们当中有些人已经展现了科研的才华。写作语言的训练可以让他们稳步成长，可以使他们眼中的世界逐渐明晰，使他们心灵清晰、感觉更加深化和细致……这也很让人陶醉。

这些文章中老师们的描写和感受，更是今后科学工作者研究儿童或人类心理和成长的宝贵的第一手资料。要做到这一点，作品的描述就要有一个条件，那就是真实：真实的眼睛，真实的表述对象和场景。这是一个非常高的要求，自然也是作品遴选的第一个条件。

编著者孙瑞雪的简单修正、指导和评述，使作品生辉，凝练和深化了主题。本书和《爱和自由》一样，表现了她深厚的儿童教育理论功底、非凡的文笔、才华和驾驭现实工作的功力。

十几年的经验说明，“爱和自由”的理念，的确使我们的心灵起飞。加上这本书阐述的敏感期理论，我们的教育就基本走向了科学的道路。这使我们欣慰。

敏感期的概念就是对成人也常常适用，因为很多成人还在继续成长。

这其中最为明显的是老师们在成长。这也是我们期待的，因为我们的老师们必须持续不断地成长，才能跟上孩子们成长的脚步。

老师们是美丽的，又是美好的。但我感觉他们的工作更有着历史意义。现在谁还需要这样讲历史、意义、理想之类？在新的语言系统中，我们似乎不再需要了，但的确是在历史转折之际，他们柔软娇小的身躯，自然地肩负起提升我们民族的重担。

因为这些教师的出现和成长是特别的。他们不是依托现成的政府机构，不去寻求政府中四平八稳的工作，不去寻求出力四两就可获得千斤利益的那些特别企业，不是享用现成的社会惠典，不是采用现成的社会经验。他们走进这种影响未来的事业——影响儿童。他们全靠自己的力量，自己创建，自我造就。他们自发组织起来，为社会服务，为人类服务。他们自己学习，自我完善。他们用他们至美的心灵，把单调、繁杂、琐碎、冗忙、难以把握、易出错误的工作，化作思想、理想和崇高。他们从传统中走出，并不断远离传统，远离世俗，走向高贵，走向自由，走向科学。他们把他们的工作变成关爱、挚爱、真爱、深爱、友爱的情境，变成宽容、理解、欢乐、自由的地域。

因此，我感觉他们正在开创未来，甚或这是一种历史的使命。他们这种使命的完成也许是在伟大出自于的平凡中完成，是在不自觉中完成的。这种感觉近乎呆板，却也挥之不去。

本书第一版于2004年出版，承蒙孙瑞雪的朋友郭骅推动出版，并担任出版人以及经纪，参与简单编辑和版式设计。新版改由本机构策划和组织，保持原有主旨，并做了大量改动，展现了这几年中更深入的研究实践成果。这里我想指明，没有出版人的慧眼、热情和尽力敦促，即使出版计划完整，书的出版也不会很快，甚至很多年也出不了。这是因为撰写著作和整理文稿是既繁重又费时的工作，不仅需要一种精神，需要毅力和耐力，还需要作者在大量其他工作中回转头来，放下心来，抽出精力时间。在此感谢各位出版人。

柏　商

2009年9月

第一版　序

有多少父母知道，婴儿刚出生时喜欢看黑白相交的地方，而不是人们通常认为的彩球？婴幼儿喝了糖水后为什么拒绝再喝白开水？他为什么爱吃手，还对非常微小的东西感兴趣？他为什么不断扔掉手里的东西，你捡起来递给他，他会再扔掉？让他听磁带，他的兴趣为什么不在听上，而是在来回装卸磁带上……

这一切的背后，是一个黄金般贵重的概念——敏感期。

所谓敏感期，是指在0~6岁的成长过程中，儿童受内在生命力的驱使，在某个时间段内，专心吸收环境中某一事物的特质，并不断重复实践的过程。顺利通过一个敏感期后，儿童的心智水平便从一个层面上升到另一个层面。

通过10年的教育实践，以孙瑞雪为首的幼儿教育专家团队发现，敏感期得到充分发展的孩子，头脑清楚、思维开阔、安全感强，能深入理解事物的特性和本质。

孙瑞雪专家教育团队还发现，儿童敏感期也是有弹性的。0~6岁的儿童，如果敏感期没有得到良好发展，到了6~12岁还会有弥补的机会。但是，这有个前提，那就是在6~12岁期间，儿童必须有一个充满爱和自由的成长环境。但现实是，在学习压力下，这个年龄段的很多孩子，既得不到6岁以前来自父母的宽容和疼爱，又得不到长大后成人给予的尊重。在纷乱的心绪中，他们孤独地成长着。

帮助家长了解孩子，让每个孩子在爱和自由中健康成长，是孙瑞雪教育专家团队10年来自觉的教育使命，也是本书诞生的前提。

本书收录了200多个孩子（0~10岁）敏感期的真实案例，所有案例由家长或老师记录，孙瑞雪点评。中外教育史上，这是第一次大规模、全面深入地揭示敏感期这一生命现象，它就像一把打造了10年的金钥匙，引领读者了解儿童成长的规律，破解儿童内心的秘密。

关于本书案例部分，要说明两点：一、为尊重孩子的个人感受，书里部分的孩子名字我们用了化名；二、本书收录的案例跨越10年，由于时间跨度太大，某些案例的记录者已经不详，这部分案例均以“佚名”具名。

4年来，当《爱和自由》在家长中广泛流传时，《捕捉儿童敏感期》即将出版的消息也不胫而走，在很多演讲场合，都有家长着急地问孙瑞雪老师：“那本讲敏感期的书什么时候能出来？我的孩子都要过××岁了！”

现在，这本书就到了您的手上。

2004年7月

家长反馈

翻开第二版《捕捉儿童敏感期》，看到书中增加了大量孩子敏感期的照片：从口的敏感期照片到手的敏感期照片，再到空间的敏感期照片……一下子对敏感期有了非常直观的认识，也很容易和孩子在生活中出现的行为进行配对。另外，看到这些孩子的生命状态真的很好！那么饱满、专注，让我们充分看到了敏感期对孩子生命发展的重要。我也更加坚定，一定要充分地尊重孩子敏感期的发展！

——在路上

读了第二版《捕捉儿童敏感期》，欣喜地发现书中大量内容被充实了、丰富了。新增了孙瑞雪老师对一些主要敏感期的专门阐述，如“儿童在用手思考”“空间、时间的敏感期”“人际关系的敏感期”等。读后深深地意识到，每个敏感期的发展对孩子的成长是多么的重要！第二版增加了许多新文章，而且每个敏感期都对应列举了实例，非常清晰、醒目。全书既有深入的理论阐述，又有大量典型、鲜活的实例，读后既有认识上的提升，又有实践上的指导。

——乐乐妈妈

该书是奉太太之命购买，太太每次阅读时都喃喃自语，不时发出“噢，原来如此”“终于明白了”等感慨，边看边画杠杠，还将儿子的情况与书中介绍的进行对比后，跟我一起分析儿子的种种“令我们头疼的事件”。在太太的引导下，我增进了对儿童教育的认识。在之后的日子里，我们夫妻俩按照书中的指引在儿子身上加以运用，并取得奇效。在太太言传身教的感染下，她身边的朋友、同事、亲戚都受到启发，也在阅读此书和加以实践。

——豆豆 bbmmlu

我强烈建议负责任的爸爸妈妈们读读这本书，因为我们的很多理念受原生家庭和社会的影响很深，很多想法是错误的。以前我们的父辈没有条件去学习科学育儿知识，难道我们这一代还要重蹈覆辙吗？这是一本很好的书，有大量的实例参考，让我们明白在孩子的各个敏感阶段我们应该怎样关心他们，帮助他们顺利度过敏感期。

3岁决定孩子一生，我们要重视！

——九头飞狼

每每和妈妈们谈论宝宝的变化时，我都会引用到“敏感期”这个概念，继而给大家介绍什么是儿童的敏感期，有什么要注意的地方，如何帮助儿童顺利度过儿童敏感期……俨然成了一个育儿小专家了！

这本书，也在我的朋友圈中传阅着。妈妈们都努力在实践中验证科学育儿理论，而妈妈自身也是相当受益的。一些妈妈平时脾气暴躁，自从学习了育儿知识，知道体贴别人了，知道从别人的角度感受和考虑了。而由此衍生出来的益处又何止于此呢……

——zplxh

由孙瑞雪和她的幼儿教育专家团队编著的《捕捉儿童敏感期》一书，影响了千千万万父母的育儿观，甚至将可能影响到全中国未来的幼儿教育观念。它让上千万的孩子得到真正意义上的爱和自由，得以真正的生命成长，也将重新改变他们的人生。

一本好书会给读者带来醒悟和启迪，而《捕捉儿童敏感期》会让你终身受益。

——智慧女孩

以上摘自当当网书评

目录

Contents

走——从最初的要成人拉着手跳，到独立行走，到要上下坡、爬楼梯，到专门爱走不平的地方。

空间——喜欢探索空间，最早表现为爬、抓、移动物体等，稍大一点则喜欢爬高、旋转、扔东西等。

细小事物——对极小而精致的东西感兴趣。

秩序——急切需要并保护一个精确且有秩序的环境。

模仿——最早表现为模仿一个词或一应一答，重复进行，也模仿动作。

自我意识——表现为咬人、打人、说“不”等。

第 1 章

4 个孩子的敏感期故事

0～6 岁，儿童就是依靠一个接一个的敏感期来发展自己的。这一章中我们摘选 4 个孩子在某个阶段的成长过程，通过这些纵向的故事，您将对儿童敏感期有一个整体的了解。

第 2 至 7 章，按孩子年龄段编排，列举每一年龄段儿童主要的敏感期。要说明的是，这样的年龄段划分只是一个大致的划分，每个孩子的特质不同，所以敏感期出现的时间上会有一些差别，这是正常的。

一出生， 敏感期就开始啦

主人公：畅畅，0 ~4 **岁**

世界就是味道

畅畅是冬天出生的。出生后四十几天，孙（瑞雪）院长来看畅畅。观察了一会儿，她说："晓晶，你看畅畅在做什么?"只见他抬起手臂使劲往嘴边送，一次、两次、三次……都没成功，畅畅懊恼地"哼哼"着。

孙院长说："他用手的敏感期来了。这种状况应该稍稍支持一下孩子，否则他会有挫败感。"畅畅努力了几下后，我们帮他把手送到口里，他立刻高兴得手舞足蹈起来。真神奇！

孙院长说畅畅的衣袖过长，棉袄太厚重，手不容易够到口。我们马上给孩子换了衣服。几天后，畅畅终于能顺利地把手送到口里了。

一天天过去，畅畅的活动能力越来越强，用口的机会也越来越多。一百天的时候他开始频繁吃手指，几乎整天小手都在口里。吃完大拇指再吃食指，有时甚至把整个拳头塞进口里。

到会用手抓东西时，到手的东西必然要送到嘴里进行"检验"，畅畅口的敏感期延续了很久，家人、朋友甚至不认识的人看到他这样都会忍不住制止，每逢这时他就痛苦得又哭又喊。幸运的是我明白这一切，我会在畅畅"工作"的时候劝说大家不打扰他。

然后畅畅开始咬东西，见什么咬什么，把玩具咬得"嘎嘎"响。接着就是咀嚼、吞咽，再后来就开始吸饮料管，吃固体食物，还逐渐地学着发音。

有时我真担心。比如他要尝瓜子皮、栗子皮，咬笔帽，我总担心他咽下去造成险情，但又不敢阻止，怕影响他的学习过程，只能在旁边提心吊胆地看。但每一次他都会原封不动吐出来。有一次他吃了一口带皮的苹果，居然把皮吐了出来，把果肉吃了，真令人惊讶！

这一年里，我对那句教育名言有了更深的理解："孩子初始是用口来感知世界的。"

（李晓晶　畅畅妈妈）

＊孙瑞雪：

婴儿在喝过糖水后会拒绝喝白水。小狗崽也是这样。很显然，婴儿和小狗崽都会用口来品尝味道。

但是，婴儿用口来品尝味道和用口来认识世界是两个截然不同的概念。婴儿用口认识自身之外的各种事物和世界，也用口唤醒自己的身体，包括手和脚。

在最早，口全方位地被使用和自我训练，以便健全口的功能，口里什么都放，放到塞不下为止，再吐出。不仅如此，同时口还肩负着发现这个世界的工作，连"软"与"硬"这样抽象一点的概念，幼儿也都用口来认识。幼儿喜欢用口来分辨，打开一个食品包，吃一口放下，再开另一包，再吃一口……我常常看到这样的情景：几盒不同的巧克力，几种不同口味的果冻，都被孩子们打开了，吃一口这个，再吃一口那个。而成人的想法是："吃完这一个，再吃那一个。"成人仅仅把它理解为吃，按计划地吃，并关注节约。这是一个社会系统的价值观念。孩子吃的目的是认识味道，了解外在，建构自我，这是一个生命系统的价值观。当成人强制性地要求儿童节约时，儿童的生命的建构和内心的需求就会受损和不断地挣扎。

通过口而健全口的机制，通过口来认识世界，这个时期能持续到6岁以后，只不过0~6岁，尤其0~2岁是婴儿高度把注意力放在开发和使用口上。再大一些，满足口的需求依然是一种心理的需求，却常常表现在玩了，还不能是一个完满的结束，玩了，吃了，才会画一个完满的句号。这个特点成人容易看到。随着其他敏感期的到来，通过口认识世界的方式就悄悄地退居二线了。

对　接

自畅畅出生以来，我经常对身边的人说："这孩子太令我惊讶了！"真的，他的成长是如此迅速，发生的一切都像是早已安排好了。

畅畅9个月的时候，有一天，在幼儿园工作的大姐来我家陪他玩。过了一会儿，我突然意识到好一阵子没听到儿子的声音，奔过去一看，畅畅正练习盖瓶盖呢，大姐在旁边扶着奶瓶。看上去他使了很大的劲儿才拔起瓶盖，又想努力盖回去，盖偏了就重盖，反反复复。我当时看了一下时间，这个过程居然持续了20分钟！

从这天起，畅畅开始喜欢盖奶瓶盖，还学会了把笔插进笔帽里。当时正值夏天，各种各样的饮料盒、吸管成了他最钟爱的玩具。有些饮料盒的吸管孔非常细小，他的小手怎么也对不准那个小孔，插好几次才能成功一次，以至于一插进去他就要长长地呼一口气，似乎刚才一直是屏住呼吸的。

中秋节过后，家里有了一个圆形的月饼盒，畅畅又把那个月饼盒玩了半个月。接着他又开始玩锅盖。我给他一大一小两个锅盖，他一手拿大的，一手拿小的，一会儿把大盖盖上，一会儿把小盖盖上。但小盖一盖就掉进锅里，他伸手取出来，很奇怪地看着。过一会儿看明白了，把小盖扔到锅里，又把大盖盖上。有趣的是，他的手始终拿着锅盖顶部的那个圆疙瘩，绝不会拿着锅盖边。

从盖奶瓶到盖锅盖大约持续了两个多月。后来，我给畅畅买了一小瓶 AD 钙奶，畅畅居然把吸管扔掉，直接对口喝。回想起那段把吸管当宝贝的时期，真是不可思议。

那个敏感期已经过去了。接下来畅畅会有什么令人惊讶的进步呢？

（李晓晶　畅畅妈妈）

＊孙瑞雪：

蒙特梭利的“圆柱体插座”就是为儿童的“对接”游戏设计的。在盖、插、拧……这些基本动作的重复中，儿童在建构手的组装能力，还在发展着最早的空间感觉（后面的章节会谈到）。

在这里，我要特别解释一下手的重要性。

在蒙特梭利看来，有两样东西和人的智慧紧密相关：口与手（在谈语言敏感期时会详细谈口）。当一个儿童能自由使用他的手时，手就成了智慧的工具。

首先，人通过手来占有环境。婴儿出生时第一个能运动的器官就是口，婴儿就用这个他仅能支配的器官唤醒了手——他不停地吃手，从而发现自己有手。可以想象，当婴儿第一次将他的小手放入口中时，肯定会有“开天辟地”般的惊喜。当幼儿第一次有意识地向外界物体伸出他的手时，他对世界的探索就开始了。

在真正使用手时，幼儿几乎是见圆的就拧，见方的就按，见线就拽，音响、电视机、洗衣机……都成为他探索的对象。随着空间敏感期的到来，幼儿在使用手的同时，还在建立空间的概念：他喜欢把外面的插进去，里面的抖出来；将磁带插入，关上带盒；抽屉打开，拿出东西……如此反复进行。

宝贝，你的玩具呢

畅畅3岁半了，越来越适应幼儿园的生活。以前每晚睡觉时他会要求我讲故事、读书给他听，现在，他要给我讲他的朋友，讲老师，讲幼儿园。看着畅畅的笑脸，我感慨孩子的成长是如此之快。

一天，畅畅兴高采烈地从幼儿园回来，手里拿着一张“王牌”：“妈妈，看！王牌。”我蹲下来接过那张王牌，显然是一张玩了很久的王牌，不是畅畅的。“是谁的王牌?”“我的好朋友和我换的，就是用那个金箍棒换的嘛!”畅畅大声回答，一副得意的模样。这时我才发现昨天小姑给他买的那根金箍棒没带回来。

接下来的日子里我们开始遇到一些烦恼。每天早晨上幼儿园，畅畅都要带上好几个玩具。晚上回来时，有的玩具“失踪”了，有的变“陌生”了，不用问，要么送人了，要么和好朋友交换了。

一天清晨，畅畅决定把那套玩沙子的工具带到幼儿园。下午接他时，我料定那套玩具拿不回来。果不其然，畅畅用它们换了一支破损的毛笔，还快乐地说：“妈妈，这是我好朋友换给我的，我好朋友说这个毛笔不但可以写字、画画，还能玩沙子，看!”然后用那支毛笔极认真地刷刷脚趾缝里的细沙：“妈妈看！它真好用。”我只好点头表示赞同，但心里有些不安，担心他在这个“交换”的过程中吃亏。

一天下午去接畅畅，远远看见他正在和明明交谈，神情非常认真。走近了，听到明明问：“你同意了吗？你说呀!”畅畅答：“同意，都说好了嘛!”看到我，畅畅说：“妈妈，我把我的枪和明明的碟交换。”明明问：“阿姨，你同意吗?”“畅畅的玩具，他说了算呀。”说完我就后悔了。那把玩具枪是一个朋友专门在上海给畅畅买的，价格昂贵。我知道不可以干涉孩子，但还是忍不住给他讲了一些道理。听了我的话，畅畅说他有个好主意，先互相交换两天，然后再换回来，我很高兴。第二天晚上我提醒畅畅，他说：“妈妈，我就想把枪换给明明。”我又讲了些道理，最后说：“这些都是妈妈的意见，枪是你的，你自己做决定吧。”畅畅沉默了一会儿，懊恼地说：“妈妈，你烦人，你不给我自由。”我愕然。

第二天，畅畅把枪带回来了。接下来的几天，他总会问家里的用品比如衣服架、电脑、杯子是不是他的，可不可以拿它们去交换。我认真地告诉儿子：“宝贝，这个家里，你的玩具、书、衣服都是你自己的，电脑、电视等用品是属于我们三个人共有的，你的东西由你支配，共有的东西我们共同支配。比如说你要把枪换给明明，妈妈应该尊重你的意见，由你来决定，以后妈妈会努力做到，好吗?”我希望儿子能恢复他自由的心智。

一个晚上，家人正在看武侠电视剧，畅畅突然说：“我的宝剑送给好朋友了，我没有了，我想要回来。”老公说：“儿子，说话要算数，送给别人就不能再要回来了，你说呢?”“那我想个好办法，明天我给他拿个玩具把宝剑换回来。”

我和老公相视而笑。（李晓晶　畅畅妈妈）

＊孙瑞雪：

我们学校有个规则：孩子们遇到问题解决不了时，教师才能出面。因为价值观念的不同，常有家长来学校讲理。比如，一个孩子用一颗话梅换走了另外一个孩子的电子宠物，一个孩子用一颗掉了的牙换走了一辆遥控车。在成人看来交换的东西价额差距很大，常担心自己孩子吃亏受骗。成人用社会系统的价值观念来评判生命系统的价值取向，就展现出了截然不同的价值观。在成长的生命阶段，儿童需要的是交换背后的秘密和感觉。这是最早儿童对物质世界物与物交换的发现，这个阶段，儿童还不能够判断出此物与彼物之间的各种差别，那是利益的关系。

大人有大人的得失标准，孩子有孩子的取舍理由。孩子只是在发现物与物原来可以交换，发现交换过来的物原来可以有其他的使用功能，这是通过交换获得的喜悦。老师常要安抚家长，要尽可能保护孩子之间的这种交易关系，直到他们的敏感期顺利度过。实际上，青春期到来前，孩子已经创造和建构好了自己，开始用已经创造好的自己面向社会，这时候自然就会领悟社会系统的规则了。

幼年如歌

畅畅就要4岁了。常有朋友对我说：“早着呢，慢慢熬吧。”可我从来没有“熬”的感觉，怀着对孩子的爱、对生命的感激和对蒙氏教育的崇拜，时间飞一样过去了，畅畅在飞速成长。

在宽松的环境中，畅畅的一些敏感期度过得很快，比如玩水、玩沙、语言、走路等。但也有几个敏感期过得很费劲。

我家住在3楼，每天回家都要经历这样一个程序：畅畅按亮每一盏楼层灯。我打开门，他再为我按亮家里的灯。有时忘了这个程序，畅畅会大哭，一定要我关了灯，等几秒钟，再由他重新按亮。喝牛奶更是如此：上床，脱衣服，坐进被子里，拿过瓶装牛奶，撕去外包装，在瓶盖上扎一个小眼，用手把小眼抠成小洞，插入吸管，开始喝！每个步骤都不能变，不能漏，否则不仅仅是哭喊，还要重新拿一瓶奶。

一天中午，畅畅的爸爸非常累，吃完饭躺下就睡了。过了一会儿，我和畅畅也准备睡。一上床畅畅就不高兴起来，使劲拽爸爸的被子，用脚踢爸爸。我劝他，他不听。我突然明白了：每天睡觉我在畅畅的右边，爸爸在他的左边，今天爸爸睡在右边了，还盖着我的被子。我叫醒老公，让他睡回原位，盖上自己的被子。这下畅畅安静了。

接着就是追求完美的敏感期。这段时间畅畅最爱说的一句话是："从头来。"他喜欢看碟，影碟机一启动，在座的谁都不能做别的事，不能接电话，不能去卫生间，否则就要"从头来"。有一天我一个人陪他，我们"从头来"了 12 次！那一刻我真快要撑不住了，差点儿就要发火了。但我管住了自己。我知道，顺利度过"完美的敏感期"对孩子之后的一生非常重要。

如今的畅畅有许多优点，心态非常好，安静，顺从，快乐，充满爱。

（李晓晶　畅畅妈妈）

＊孙瑞雪：

畅畅正处在秩序的敏感期。这个时期程序和秩序给儿童以安全感。如果程序和秩序被打乱，会给儿童带来内在的极大混乱和不适。

对这时期的幼儿来说，世界是以不变的程序和秩序而存在的。这种程序和秩序进入幼儿内心，成为幼儿最初的内在逻辑。这就是儿童的思维，有时称"直线式思维"。后来，儿童的这种逻辑开始改变，逻辑核心被抽象出来，不改变，在此基础上，而事物的形式可以变化，甚至千变万化。

敏感期，一个接一个地出现

主人公：桓桓，2～3 岁

小狗下坡

2 岁 1 个月的桓桓入园两周多了。

昨天，老师们向几个小宝宝展示“小狗下坡”的教具。小狗从坡上缓缓走下来，发出悦耳的“嗒嗒”声。桓桓急切地拿起小狗，把小狗的头掉过去，想让它再从坡下走回去，可小狗只能从倾斜的坡上下来，不能回去。

桓桓又把小狗放在地上，发现它还是走不了。最后，他把小狗放到坡上，让小狗下坡。他则在旁边看着，脸上带着微笑。他的愉悦传给了每一位在场的老师。

（王莉）

* 孙瑞雪：

发现是儿童的快乐之一。北京华亭幼儿苑的几个孩子先后都进入了空间智能的敏感期，如何满足这个时期的孩子们呢？一天，老师发现了“小狗下坡”的玩具，觉得它对孩子探索空间有帮助。果然，这个玩具让孩子在惊喜中又是观察又是实验，一会儿突然大笑，一会儿突然安静。整整一个下午，孩子和老师都沉浸在认知的喜悦中。

求　助

桓桓的语言发展有点慢。他只能说单字或两个字的词，常常用“嗯嗯”声来求助。

那天早晨在游乐场，桓桓专注地摆弄着齐齐的摩托车。半小时后，他把小车推到满是小石子的地方，怎么也推不动了，再一使劲儿，小车翻倒了！

一个小男孩正好经过，桓桓向他求助。我说：“桓桓，你可以请小哥哥来帮助你，对他说：‘你可以帮助我吗?’”桓桓对小男孩说：“帮我。”刚走出几步的小男孩回头看了看桓桓，过来帮他扶起了小车，转头就走，我忙说：“桓桓，你应该对小哥哥说‘谢谢’。”桓桓说：“谢谢!”看着奔跑着离开的小哥哥的背影，他眼中充满了感谢。

（王莉）

* 孙瑞雪：

儿童要自我发展，这发展需要环境。教师的任务就是准备环境。儿童在一个环境中发展自我，这个过程常常需要他人的帮助。教师的任务就是提供帮助。

怎样自然地设计环境和提供环境，使教师提供的环境和帮助在无意识中促进儿童不断发展，是我们一直在研究的课题。

小哥哥，你别走

今天，天气温较低，但户外空气湿润，洋溢着春天的气息。我和桓桓来到游乐场。这里孩子很少，但有一个小哥哥不离桓桓左右，想和桓桓玩。

桓桓已经2岁3个月了。小男孩十分照顾他，看他骑着小车到转弯处或前方有障碍物时，小男孩都会加快步伐抢先跑到危险的地方提醒他。当桓桓停下车，要去玩其他游乐设施时，小哥哥问他："我可以玩你的小车吗?"

桓桓一巴掌打在小男孩脸上！小男孩难受地"哎"了一声。我立刻告诉桓桓："这是粗野的行为，请你向小哥哥道歉。"桓桓说："对不起。"我说："如果不想给小哥哥玩，你可以说'不'。"

过了一会儿，桓桓又骑上小车，回头一看小哥哥没追来，就停下来看着小哥哥。

小哥哥早已原谅了桓桓。他刚向桓桓跑了两步，楼上的妈妈喊他了，他立刻转身跑向妈妈。桓桓追了几步小哥哥，发现追不上，坐在地上伤心得哇哇大哭。

我跑过去抱起他，他伤心地用小拳头打我。我给他解释了小哥哥走的原因，并说："小哥哥喜欢你，老师也喜欢你，你心情不好，想哭就哭吧!"然后抱着他走来走去，过了好久他才慢慢安静下来，离开我的怀抱，又去骑小车了。

（王莉）

*孙瑞雪：

正常儿童有两个优秀的品行——大孩子照顾小孩子，不打小孩子；小孩子打大孩子，大孩子不还手，不记恨。这不是教育出的道德品质，而是生命成长之后的正常状态，好像一个走过来的生命，转身在看身后尚未走来的生命而自然产生的全然的理解。所以让生命自然地成长，是最高的道德。

在这篇文章里，我们看到一系列正常的心理状态：小小孩受到关爱和帮助还没有什么感觉，但他简单地建立起一种安全感和秩序感；他不愿意时就用打对方来表达；在很短的时间里他对大小孩产生了一种朦胧的依恋；他对大小孩的离去感到痛苦，这个痛苦的消解需要时间。

大小孩自然地照顾小小孩，同时试着去满足自己的愿望；被小小孩打时他并不生气，受到小小孩拒绝时也并不难过；事实上，大小孩在这个过程中能得到的发展和果实正在后面，可惜被他妈妈意外地打断了。

妈妈们叫孩子时很少先观察一下孩子正在干什么，谁知道有多少个宝贵的瞬间就被这样打断了。

拿掉剪刀

豆豆兴奋地拿起一把剪刀对班上另一位老师说："我要剪纸!"

正在看书的桓桓听见了，赶紧把书归位，也拿了一把剪刀对我说："剪纸!剪纸!"

我拿了一张纸，放在桓桓打开的剪刀口上让他剪。桓桓的手部小肌肉群还没很好地发展起来，他两手一起用力，困难地、专注地剪着纸。在这期间，豆豆停止了剪纸，但他拒绝将剪刀归位。另一位老师帮他归位了，但无意中把他的剪刀挂在了桓桓的挂钩上。

桓桓停止剪纸后，发现自己的挂钩上挂着剪刀，毫不犹豫地把那把剪刀扔到地上，再把自己的剪刀挂上去，然后平静地离开了。

（吕景玲）

*孙瑞雪:

这个情景让人忍俊不禁。我们知道小小孩在秩序被破坏时会感到不安和焦虑，有时甚至可能会哭。可桓桓没有哭，而是直接用行动纠正了秩序。一个正确而雅致的秩序感会在儿童那里很快实现"肉体化"，当这一切成为习惯和自然，就奠定了他的文明基础。

找椅凳

下午吃加餐时，桓桓一副没睡醒的样子，洗完手来到餐桌旁自己的位置上，眼睛看也不看就直接用手摸自己的椅凳，摸了好半天才反应过来：自己的椅凳不见了。他一脸茫然，似乎在说："桓桓的椅凳呢?"

接着桓桓蹲下来看看桌子底下，看了好半天，确定桌子底下也没有，再次露出茫然的表情。

突然间，桓桓从桌子底下看到对面豆豆的椅凳。当天豆豆没来。桓桓兴奋地说："桓桓椅凳!"他立刻站起来跑向对面，准备拿椅凳。

豆豆的椅凳上洒了一点果汁，老师正在擦。桓桓兴奋地跑过来，手指着椅凳对老师说："桓桓椅凳！"老师告诉桓桓："这个椅凳还没擦干呢，还不能坐。"桓桓再次显出茫然的表情。

正在这时，桓桓似乎想到了什么，立刻跑去卫生间。原来他记起了他的椅凳放在卫生间搭衣服。他正要拿时，老师说："桓桓，椅凳干了，你可以用了。"桓桓兴奋地跑回来说："桓桓椅凳，桓桓椅凳。"然后吃力地把它搬到自己的位置上，吃起了加餐。

（吕景玲）

*孙瑞雪：

"桓桓椅凳"是一个儿童式的电报语，意思是"桓桓坐的位置上的椅凳"。电报语是儿童语言的特征。

桓桓的位置和这个位置上的椅凳已经成为桓桓的秩序。这么小他就能努力恢复这个秩序，这对成人来说很平常很简单，但对儿童来说，它是儿童处于放松状态和正常状态时才出现的景象。

在孩子1岁多时，寻求秩序就是孩子生命中的自然需求。刚开始是作为物质形态的位置——衣服要穿在身上，垃圾要扔进垃圾桶里，讲故事要坐在一个地方讲完等，必须将某物放在应该放的位置，来形成儿童最基本和最初的秩序感。逐渐就开始感知到关系中的位置和秩序……乃至更深入。发展到这一步将深刻地影响孩子未来的命运。

探索空间

2岁2个月的桓桓不停地把不同的教具搬放在同一个地方捣鼓着。这会儿，他正皱着眉头把弹力球扔出去。先是往平地上扔，然后往树丛中扔。扔了再找，找到后就"咯咯"笑。他还把球扔上比他高出很多的小平台，然后跑到小平台的另一端等待小球慢慢骨碌过来。

这些天，他不断重复着这些游戏，从不厌烦。

去动物园游玩的一天真开心。吃完汉堡，老师和孩子们在草坪上玩乐着，抱在一起在草地上打滚。许多游人的目光被我们吸引了。

桓桓对在草地上打滚有些害怕。我抱着他尝试了一次，他很高兴。我鼓励他自己试一次，他却被临近的水管吸引了。他把小草、小树叶放在水管中，水管中的水使小树叶浮了起来。他静静地想了想，又用小手去按小树叶，看着小草和小树叶顺着水流走。大约过了40分钟，大家要离开了，他还不愿离去。

（王莉）

＊孙瑞雪：

儿童通过物体的位置探索空间，通过物体的运动探索空间，还通过弯曲的视界探索空间。通过不在视界中的物体探索空间，他们由此得到空间感，形成空间概念。

这些都是空间的要素：直观的位置，直观外的位置，速度与时间的关系。这就是科学逻辑的起始点。

弹力球是幼儿最初探索空间的最好道具。扔东西的动作虽然简单，却非常重要。

插不上的圆柱

今天，桓桓第一次操作圆柱体插座。他先从最粗的圆柱开始，一个一个拿起来放进插座中。接着又把细小的圆柱一个一个插进插座中，一直做到最粗的一个。做完这些，他开始四处张望，然后极不情愿地从活动室走出来，用脚踩地上的圆柱。我拿起圆柱说："这是教具，教具是用来工作的，请归位。"可他拒绝归位。薛老师抱起他说："现在吕老师帮你归位，请你看吕老师怎样归位。"

我走向桓桓的工作毯，把最细的圆柱体插入插座中，接着从细到粗把剩下的圆柱体一个一个插进去。

插到第4个时，桓桓像发现了什么似的，挣脱薛老师的怀抱走过来，接着我做的把圆柱体从粗到细插了回去，放到最细的一个时，他发现放不进去，把它颠倒过来才放进去。

（吕景玲）

＊孙瑞雪：

圆柱体插座是儿童学习空间几何关系的第一种教具。几何是抽象空间中的边界，圆柱体插座把圆柱几何直观化。这个教具体现了蒙氏方法的基本思想，即儿童的认知从感觉开始。

圆柱体插座让儿童通过几何边界的对应来感知几何边界。一一对应是这个教具操作的主要内容。在一一对应的操作中，儿童发现空间形状并感知序列，通过错误对应和正确对应的比较掌握空间概念，为将来学习几何学打下良好基础。

儿童学会操作这个教具一般需要1～2个月的时间。

爱，妙不可言

我发现2岁半的桓桓最近对家里的阿姨很依恋。

今天早晨，阿姨送桓桓来后悄然离开，桓桓发现后立刻痛苦地跑向门口，不停地喊着："阿姨！阿姨！"我追到他身边轻声安慰道："桓桓，阿姨回家给桓桓做下午饭去了，桓桓下午回到家就可以吃到香喷喷的饭。"他听了破涕为笑，情绪好了起来。

整个上午我都和他在一起聊天、工作、游戏。下午吃加餐的时候，我坐在旁边陪他，他不停地冲我笑。妙妙吃完离开后，桓桓跪在我面前，双手搭在我腿上，慢慢对我说："吕老师……桓桓爱你。"说完羞怯地将头埋在我的两腿前。我心里热乎乎的："桓桓，吕老师也爱你。"听到我的回答，他的小脸露出了温柔的笑容。

爱，真是妙不可言！

（吕景玲）

＊孙瑞雪：

儿童对教师、对环境的爱和依恋，说明学校（幼儿园）的环境是一个和谐的环境。儿童在这个环境中拥有安全感和快乐感，这就是家的感觉。环境的和谐最重要的表现在于关系的和谐上——关系和谐了，环境就可以依恋。儿童依恋老师是他情感的需要，也是他不能独立的表现。但儿童正是通过对成人的依恋而走向独立的。

征求别人的意见

2岁半的桓桓看见了文文的小摩托车，不假思索地骑了上去。王老师提醒他要征求文文的同意。桓桓双手拇指与食指来回搓着，眉头微皱，表情严肃。快走到文文面前时，桓桓的表情逐渐放松了，但还是很严肃，刚要张嘴，文文似乎感觉到了什么似的，转身向地下室跑去。桓桓愣了一下，旋即回过神来，立刻去追文文。

地下室入口处，文文用力敲门想进去，桓桓站在后面，非常安静地等着，希望文文静下来和他说话。等了1分钟，文文仍在那儿用力地敲着门，嘴里大喊着："开门！开门！"桓桓似乎等不及了，在后面小声问："哥哥，我可以玩你的车吗？"他声音太小了，文文根本没听见，继续在那儿敲门。桓桓又开始搓双手拇指与食指，眉头皱在一起。过了一会儿，桓桓发现文文没理他，失望地叹了口气。我以为他会放弃，没想到他又鼓起勇气，重复了一遍刚才的问话，声音也比刚才大了很多。

这回文文听见了，但并没有听清楚，他瞪着大眼睛疑惑地看着桓桓。桓桓立刻感觉到机会来了，微笑着对文文说："哥哥，我可以玩你的车吗?"桓桓的发音不太清楚，文文还是没听清，疑惑地转头看看我。桓桓的表情有点紧张，也用求助的眼神看我。我知道他需要我的帮助，立刻友好地对文文说："文文，桓桓在问你是否愿意让他玩一会儿你的小车。"听了我的话，文文犹豫了一下，眼睛看着地面摇了摇头。见文文摇头，桓桓就像已经猜到了这个结果似的，非常平静地走出了地下室，脸上没有任何表情。

桓桓慢慢地坐到了游乐场的台子上，皱着眉头，出神地看着文文的车。看了好久，似乎在想着什么。突然，他放松了眉头，叹了口气，跑向远处的滑梯。

（王莉）

*孙瑞雪：

儿童刚刚开始形成自我，要区分你的、我的。这种区分首先是通过某物。要区分你我，就必须和另一个人产生关系。刚开始儿童还不知道如何同别人沟通时，教师的启蒙非常重要。儿童提请求的心理过程和成人的没有根本区别，但儿童心里没有积累的心理障碍和世俗的考虑。

和成人相比，儿童是一个多面的当下存在者而不是社会的存在者，交往对他的心理影响远远超过实际的交往内容。在交往中儿童学会遵守秩序、调整自己，为将来的人际关系智能打下基础。

这个例子中，我们看到了桓桓出色的心理调节能力。值得注意的是，桓桓也拥有了不被打扰的时间和空间，使得他可以进入自己的内在来调整自己。

绘画与音乐

星期五早晨，班上的孩子在上音乐课。

桓桓参与了很长时间后离开了。

他来到美工区，拿起粉笔在黑板上随意画起线来，一边画着，一边用脚踏着教室里歌曲的节拍——他仍然陶醉在音乐的艺术氛围中。在音乐声中，他很快发现了怎样画直线。我又给他引入了曲线和点，他不断在黑板上用不同颜色的粉笔画着直线、曲线和点。这样持续了整整30分钟。

（王莉）

* 孙瑞雪：

儿童对音乐和绘画有着天然的直觉。

音乐的敏感期同其他敏感期一样，也呈现出螺旋状发展的过程。最早幼儿都喜欢节奏，2岁时就能把握好节奏；到了三四岁，儿童对简单而重复的旋律开始感兴趣；五六岁，开始能选择自己喜欢的音乐并自发用动作表达旋律中较为复杂的音乐；6～8岁时，儿童已经能体验音乐带给他们的美妙感受，某些孩子会为此而流泪或是深深沉浸在音乐中。

绘画也是这样，最早尝试着努力画到纸上，然后画出一堆麻线团，接下来是一些不规则的几何形状，再然后是一点点儿童看到的物的大概形状，最后要求成人帮助画，5岁时可以把握想要表达的事物的宏观形状，比如人，儿童可以抽离出人的基本特质：眼睛、嘴巴、四肢……再大一些开始对细节有了发现和用绘画表现的能力。也可能儿童的眼睛在年幼时需要高度抽离事物的主要特质，这正是儿童从宏观入手，再进入微观的绘画历程。

我们要为儿童提供自由发展和绘画的条件，系统地欣赏音乐的机会。这样一来，凭着儿童天赋的能力，即使他们不接触职业的绘画训练和乐器，对绘画艺术和音乐的感受也能达到一个很高的境界。

一个人的空间

今天，2岁7个月的桓桓把自己反锁在了活动室里。一开始他在屋子里踱步，走了一会儿，来到食物架旁开始拿别的小朋友的水杯玩，又拿起宝宝的水杯喝水。我在窗外制止他：“桓桓，那是别人的东西，不可以动。”他跑过来关上窗户，想把我关在外面。紧接着，他似乎明白了我无法进去，便镇定了下来，又跑到食物架旁拿淼淼的水瓶喝水。我告诉他：“桓桓，别人的东西不可以拿，请你把别人的东西归位。”他对我置之不理。我又说：“桓桓，你可以一个人待在屋子里，但是请你把别人的东西归位，因为别人的东西不可以拿。”他犹豫了一下，从嘴边拿开淼淼的水瓶，但仍然拿在手中玩着。

上完人体课，桓桓把一个嗅觉筒拿在手中，谁也不给，后来又把幼儿园的一把剪刀放入他的自行车后备箱。薛老师告诉他别人的东西不可以拿，他根本不听，在薛老师的一再追问下，他才说要把嗅觉筒拿回家给爸爸妈妈看。

（吕景玲）

＊孙瑞雪：

人有个体和群体两种状态：当他进入群体时，在群体中展示自己，显现自己的能力、形象、品格和价值，寻求交流、接纳、认可和给予；当他进入一个私人空间独处时，会放松、无所顾忌地做事，以释放自己。

儿童两岁多就出现了这个状态。在个人空间里让他学会基本的自律、遵守基本的道德和法则。这些都是一个人的底线。

迟到的敏感期，一个个补上来了

主人公：缇缇，2 岁半 ~5 岁

孩子忧郁了

女儿是个极度敏感的孩子，一般孩子注意不到的细枝末节，在她眼里就可能被放大成参天大树。我很早就意识到了这一点，但一直错误地以为这么脆弱敏感的孩子一定要多多磨炼。我就自以为是地一直在磨炼她，好让她变得泼辣一些！

女儿 2 岁半时，我们搬家了。大人当然高兴，但对女儿来说，看不见熟悉的物品，看不见熟悉的邻居和小朋友了。她曾哭着求我们把家搬回去，这当然不可能。我丝毫没有注意到女儿渐渐忧郁起来的眼神。

现在想来，女儿受到的最致命的打击是 3 岁刚上幼儿园的第一天。那天，她带着最喜爱的图画书《红宝盒》到了幼儿园。下午接她的时候，我发现女儿的眼睛哭得又红又肿。她说图画书被老师没收了。我小心翼翼地跟老师商量：“明天就送女儿来半天吧？”那位班主任老师说：“这样太惯着她了，你也是当老师的，这个道理你还不懂吗？”第二天，当女儿用绝望的眼神哀求我别送她去幼儿园时，我不为之所动，自以为那是对她的锻炼，只要坚持送，就能改变她的敏感多虑。

从那以后，女儿开始出问题了：憋尿越来越严重，即使面对妈妈，也越来越不爱说话。我常在晚上摸摸她的小枕头，湿湿的！但她再也没有放声大哭过。

她小小的心灵到底受过多大的创伤？我不知道。现在想来，那段日子对女儿来说一定是暗无天日的。同样的经历不一定给别的孩子留下阴影，但女儿却从此陷入了恐惧中。而我却在无知中毫不留情地把她推得更远。假若时光能够倒流，我一定毫不犹豫地带着女儿搬回旧家！一定第二天就带着女儿退出那所“双语艺术幼儿园”！

后来接触到“爱和自由”教育理念，我才明白，敏感的孩子需要更细心的理解和呵护、更多的爱与自由。如果妈妈都不能成为她最后的安全港湾，那她脆弱如丝的心灵还能从哪儿得到抚慰？对一个孩子而言，当四面八方都无出路，她又怎能不把自己封闭起来？

（康立新　缇缇妈妈）

＊孙瑞雪：

如果你用你的眼睛看到的是一个生命，你关切这个生命，你就会从孩子的角度看孩子，用孩子的眼睛来看世界，生命就会受到尊重。你不能为未来打造一个人，孩子不是一个物件。我们只能陪同孩子走过眼下这一步，而且是快乐地走过。这是爱。我们要把这些慢慢剥离开，使我们开始关注觉察到我们的生命，而不是关注我们对未来的恐惧。

我们有一个根深蒂固的观念：孩子要锻炼、摔打，这样才能培养出坚强的、有出息的人。我们有意对孩子严厉，有意让孩子吃苦，有意伤害孩子。这个似是而非的观念给多少孩子带来了苦难和创伤？

每个父母都是爱孩子的。这是一个极好的理由，所以当孩子出了问题，我们应该自省而不是浪费时间去悔恨，然后开始学习爱，并实践爱，这是我们唯一可以做的。孩子因此就有了成长的机会。

缇缇的手

缇缇有一双非常漂亮的手，手指又细又长。

但在 3 岁时，缇缇的手出现了问题。她总爱将手指单调地放在眼前晃动，同时自言自语。她不断重复这种刻板的动作时，整个人经常像丢了魂一样。我想不通心爱的女儿怎么会这样？

来到宁夏蒙特梭利国际学校后，缇缇的手也渐渐恢复了自然状态，晃动手指的行为不见了，自言自语也很少了。

原来我极爱干净，可以说有洁癖，每天都把家打扫得一尘不染，缇缇的手每天都是干干净净的，她的手从没有自由运用过。马老师告诉我，让她工作，她的手才能慢慢恢复正常。

我从小摊上买了一个沙包，缇缇每天都把它放在手心里，反复触摸很长时间。我们把米、面、豆子盛在小盒里放在地上，她跪在地上抓呀、撒呀，一玩就是一两个小时，她的手似乎在寻求着从未有过的满足。

与此同时，缇缇的心扉也在慢慢敞开。她哭着说出了以前从未说过的事：在原来的幼儿园，她曾因尿裤子挨过老师的打。我无法想象那时的缇缇该有多么恐惧和无助！

我终于明白，一个没有爱的幼儿园，无论它多么高级，也能毁掉一个敏感、脆弱的孩子；一个缺乏自由的家，无论它多么洁净，也很可能给孩子的成长带来灾难。

（康立新　缇缇妈妈）

＊孙瑞雪：

本文作者提出并解答了一个问题：为什么有些孩子有多动症？为什么有些孩子不快乐？为什么很多孩子表情僵硬、木然？为什么有的孩子“自闭”了？

我们经常看到，有的学校把“环境高档、设备先进、教学有特色”作为学校的广告语，唯独不提人文环境，好像里面活动的不是一个个活泼可爱的孩子，而是一个个学习机器。

当父母开始关注孩子生命的成长，学会了爱孩子，就具有了判断学校以及老师状态的能力，这个时候，整个孩子的生存处境才会得到真正的改善。

迟到的敏感期接踵而至

缇缇3岁10个月了。进入蒙特梭利国际学校大约1个月后的一天，她把家里所有的东西——书架上的书、橱柜上的玩具、衣柜里的衣服、鞋架上的鞋子、厨房里的碗碟，所有能摔的东西通通摔在地上，然后在满地狼藉中满足地走来走去。这种“行动”持续了一个星期后就停止了。继之而来，她又开始喜欢抓、摸、捏、揉、切——抓米、抓沙、玩水、玩面、玩豆子、切菜等，这样又过了整整2个月。

这期间，缇缇慢慢迷上了剪纸，但大都是都乱剪一气。每天早晨起床以及每天回家的第一件事就是去拿剪刀，剪一大堆碎纸。这样乱剪了一个多月，忽然有一天，缇缇开始喜欢按线条剪了。她要求妈妈画各种线、图案，她顺着线剪出各种简单的图形。后来开始剪越来越复杂的图案。春节回老家，缇缇剪的蛇形曲线粘满了整整一面墙。

这个学期，缇缇剪纸的兴趣开始淡了，喜欢上了涂色。刚开始她用一种彩笔随心所欲地涂，后来喜欢把所有的物体都涂成五颜六色。现在，她会很好地设计、搭配颜色了。

最近，缇缇的词语似乎也丰富起来，经常语出惊人。她把姥姥称为“乡巴姥”，把姥爷称为“乡巴爷”，还摇晃着脑袋说：“我要做主宰万物的上帝!”

楼下的小男孩想跟她要好吃的，她一本正经地说：“多可惜呀，我不愿给你拿。”我带缇缇下楼，小阿姨谎称要追上我们，缇缇大叫：“妈妈，大事不妙了，阿姨会抓住我们的！快跑!”《白雪公主》里有一个词“大事不妙”，她就挪用了。

一天，我买了油桃。缇缇边吃边说：“一种桃，没有毛，它的名字叫油桃。”现场编起了顺口溜。

如今的缇缇，每天都开心而满足。作为妈妈，我真是心花怒放。我那自我封闭的女儿，在爱和自由的环境下，3岁前几乎流失的敏感期竟这样迅速地一个个接踵而来。

（康立新　缇缇妈妈）

失去的敏感期如何恢复

文 ◎ 孙瑞雪

缇缇补敏感期像补功课一样，急切地一项接着一项。弥补敏感期需要条件，需要爱和自由的环境，需要规则，需要把儿童的心智拉回来的工作条件，使儿童回到成长的轨道上。在爱的包容下，被压制过的儿童会获得心理上的疗愈；在自由中儿童逐渐放松和解放，逐渐打开自己的心智，走向正常。

缇缇几乎是从几个月大的敏感期开始补起——把东西拨拉到地下，将一物和另一物分离开……用手去抓握……直到画、剪、涂色……以及语言的敏感期……几乎是一场奋不顾身的强补过程。

这是那些敏感期错过、成长滞后甚至被判断为“自闭”的孩子重新成长的极好的例证。

首先，缇缇的变化来自缇缇的妈妈的努力。她以一种母爱的力量，完全转变了自己的意识，她了解了孩子生命的需求，从人性的角度重新审视自己和孩子，走过了一段痛苦、孤独、坚持不懈的成长之路，因此才带来了孩子彻底的变化。

其次，这所幼儿园是一个成长和意识进化的平台。在这个平台上，孩子、老师、家长一起成长，因此这个环境也成为至关重要的条件。

最后，是这个孩子，我们该寄予孩子怎样的信念（而不是信心）呢？因为环境变了，没有人强制孩子，孩子自我恢复的机制就自发地启动。而无法预计的巨大潜质，就存在在每一个孩子身上。要清楚的是，这种敏感期的补偿，是基于孩子内在自发的需求，是环境放松、安全后，孩子内在障碍释然后，回归成长轨道的自愈过程。信念就存在于每个生命中。

这是每个儿童都要经历的敏感期或称为必要的敏感期。如果没有经历或者错过了，只要不超过6岁，在爱和自由的环境下，就能补上。过了6岁，还有机会吗？如果父母愿意改变自己，成长就会再开始。只要生命存在。缇缇、缇缇妈妈给了我们和许多家长巨大的信心。

缇缇的巨变

凡是知道女儿以前状况的人，现在再见到她，都会惊讶于她的巨变。现在的缇缇，不再是以前那个不说话、表情木然、对别人的问候充耳不闻、忧郁恐惧、胆怯退缩、注意力不集中、从不表现自己意志的小姑娘了！她的表情一天天自然起来，兴趣一天天广泛起来，话多了，注意力也开始集中了。

缇缇也知道自己现在和以前很不一样，她说：“我以前一点都不幸福，现在，我最幸福了！”

缇缇在电话里对爸爸说：“爸爸，你快来吧，你那里不好玩，我这里才好呢！”她自豪地对我说：“老师最爱我呀，因为我最棒！”

缇缇喜欢老师，喜欢小朋友，喜欢学校，甚至格外喜欢吃学校的饭。如今，她经常跟马老师、杨老师开玩笑。就在前几天，当我看到她跟贝贝快乐、自如地交往时，我高兴地流下了眼泪。我梦寐以求的情景竟然实现了。

这些天每晚临睡前，缇缇都要我回答她一连串的问题：“妈妈，你以前为什么只看着别的小朋友，不看我？”“你以前为什么扶那个小弟弟童童滑滑梯，不扶着我？”“你以前为什么还搂着托托哥哥？”

奇怪的是，这全是缇缇3岁以前的事，她竟然如此深刻地记在脑子里！

我一一回答她。她对我的回答还算满意，但仍然反复问，期待着我同样的解释。我问她：“这个问题我已经回答20多遍了，还需要再说吗？”缇缇说：“妈妈回答13遍还要回答，回答80多遍还要回答。”“13”和“80”在她看来都是很大的数目。

平时，她爸爸不常在宁夏，家里只有我、缇缇和小阿姨3个人。有时，我正跟小阿姨说着话，缇缇会插进来，站在中间质问我：“你在跟小阿姨说什么？不能跟她说！什么都不能说！”

可笑的是，我们一起买东西时，如果小阿姨帮我提东西，也会引起缇缇的嫉妒：“你不能提我妈妈的东西！不能帮我妈妈提！”可怜我只好“忍辱负重”地自己提。

前几天，5岁的皮皮来我们家玩。一听到我或者小阿姨跟皮皮说话，缇缇便醋意大发，怒不可遏地大喊：“不能跟皮皮说话！不能跟他玩！”我和小阿姨因此特别注意，小心翼翼地照顾皮皮，不让她发现，而缇缇竟像个小侦探一样，仍会抓住我们的蛛丝马迹，一旦抓住就责问我们：“你是在帮助皮皮吗？”“你想陪着皮皮？不行！”

有时，缇缇试探我：“妈妈，你只是爱别人一点点，你爱我最多。”我不知道其中有诈，就说：“对呀，就是这样的。”缇缇立即急哭了：“不！你一点点都不能爱别人，全都得爱我！”

缇缇明显地爱哭了，多愁善感了。有时她会严正地警告我或者小阿姨：“我发现你爱我有点少了！”

想想以前那个不表达自己、表情木然的缇缇，我真是感慨万分！当她敞开心扉、拥抱这个世界时，当她情感的敏感期到来时，她需要的爱可能永不嫌多，我要给的爱也永不觉够。

（康立新　缇缇妈妈）

＊孙瑞雪：

真的有“吃醋”的敏感期吗？是的。普遍吗？普遍。这就是嫉妒，是儿童很早要面对的内在情绪的一种。对爱“吃醋”、对妈妈的爱“吃醋”，表明情感的敏感期悄然来临了，这是对爱的占有，一旦获得了对妈妈爱的满足和依恋，独立的步伐就会迈出。对妈妈爱的依恋是为不再依恋妈妈的爱，为离开妈妈做准备，尤其对缇缇来说更是这样。她的安全感还不很稳定，更需要大人细心地照料和呵护。

我看过一部电影，看着妈妈关照新生的弟弟，哥哥感到痛苦。他沉默着躲在一角，郁郁寡欢。妈妈看懂了孩子的内心，对孩子说："无论何时，妈妈都爱你；但是弟弟很小，需要照料，你能理解吗？"孩子释然了，心里不再有结。

放肆的语言

随着在学校越来越放松，缇缇不仅比以前爱讲话了，而且说的话也越来越"放肆"。

马老师跟缇缇说"再见"，缇缇说"臭见"！杨老师对缇缇说"下午好"，缇缇说"臭午好"！老师教芭蕾动作，回到家，缇缇大笑着说学了"八蕾""九蕾""十蕾"。

听了《渔夫和金鱼的故事》，缇缇对"乡下佬"一词情有独钟，先是称姥姥、姥爷为"乡下姥""乡下爷"，而后又把马老师叫成"马老"。

一次午餐，缇缇不想吃饭，只想吃小王子麦烧饼，我说："先吃饭，才能吃零食。"缇缇说："这不是零食，零食是甜的。你这个笨蛋，真是个傻瓜。"这是那个故事里的对白，听得我们都笑了起来。

缇缇的话没轻没重，有时也让人伤心。前几天，缇缇刚知道了非典型肺炎的事情，对家里的小阿姨说："阿姨，你姐姐、你弟弟、你妹妹都得了非典型肺炎了。"小阿姨气得半天说不出话来。

有一次，我跟缇缇爸爸开玩笑，随口说了句"简直有神经病"，没想到正在旁边玩耍的缇缇接着说："爸爸有神经病，还有高血压、低血压、心脏病、大脑炎、气管炎、心肌炎……"

小阿姨想亲亲缇缇，缇缇盯着她看了一会儿，认真地说："哎呀不行！你太丑，太矮，脸太黑，屁股太胖，腿太粗！"

早上，我搂着缇缇躺在被窝里，小阿姨进来故意说："妈妈搂着这么幸福呀，羡慕死了！"缇缇说："哦，你妈妈可没办法来，那你只好痛苦着吧！"小阿姨故作号啕大哭状，缇缇更是雪上加霜："妈妈，你给她唱《小白菜》！"缇缇第一次听《小白菜》时，曾经伤心地大哭了一场。

缇缇非常羡慕大孩子，在小小孩面前有时自鸣得意。每次遇到园里的木兰，缇缇都要明知故问："木兰，你几岁了？"木兰乖乖地回答："两岁半。"缇缇就说："哎呀，你怎么还这么小呀！我都快愁死了，啥时候能长我这么高呀？"

最近，我常听缇缇跟别人吹牛："我敢摸大狗，敢摸老虎，还敢摸狮子的嘴呢，就是我家那个玩具毛狮子。"

缇缇对一些新鲜词倍感兴趣，吃好吃的东西时她会故意馋别人："爽呀，爽极了！"她爸爸打电脑时说了句"死机"，被缇缇听去了，过了一会儿，她躺在床上一动不动，我问她怎么了，她说："我死机了。"小阿姨不小心一屁股坐在了地上，半天动不了，缇缇说："你死机了！"

一次她爸爸浪费电，我说他"烧包"，缇缇问："烧包是什么意思？"她爸爸解释："就是故意浪费的意思。"第二天，缇缇故意把一盆面粉都撒在地上，我问缇缇干什么呢，缇缇很自然地回答："在烧包呢！"

女儿的内心放松了，语言必定会越来越有趣吧。不知下一步她的嘴里又会冒出什么惊人的妙语。

（康立新　缇缇妈妈）

＊孙瑞雪：

语言的发展是一个螺旋式的发展过程。每一个时期，对语言的敏感点有所不同（后面《语言的敏感期》一文专门有介绍）。儿童成长到哪个阶段，就对哪些语言敏感，这是一种普遍现象。当幼儿发现语言可以变成一种力量时，在成人看来就成为了骂人的话。这个时候，与其说是儿童对丑的语言敏感，不如说成人自己对儿童的这类语言敏感。

实际上，儿童对效果强的语言敏感，是儿童发现语言还可以表达力量，这是对语言能力的进一步的发展。很多骂人的语言被儿童使用，就是因为成人反应强烈，证实了语言的力量性。如果成人没有反应，儿童就不感兴趣了，大家不妨一试。

其实儿童还对有歧义的语言、幽默的语言敏感。一个语词有两个意思，也让他们觉得非常好玩！大家也不妨一试。

天　赋

缇缇越来越喜欢舞蹈，喜欢看电视上播放的芭蕾舞、踢踏舞、少儿舞蹈等，还暗暗地崇拜徐老师的舞姿。但她只愿意欣赏，从不敢自己上去表演，不管我们如何请求、鼓励，她总是一句话："我不行，我跳不好。"

偶然的一次，缇缇情不自禁地手舞足蹈时，她爸爸以万分惊喜的口气惊叹道："女儿，没想到你有跳舞的天赋啊！"缇缇一下子红了脸，而后含羞带笑地对我说：

“妈妈，爸爸说我有跳舞的天赋。”那一整天，缇缇的情绪都很高涨，并从此一发不可收拾，经常拉着家人跟她跳舞，还自编了一种所谓的“安静舞蹈”。虽然她的舞姿绝对称不上优美，动作也不协调，缺乏节奏感，但让我们惊喜的是，她的确爱上了舞蹈，最重要的是，她更自信了。

（康立新　缇缇妈妈）

＊孙瑞雪：

其实每个人多多少少都有天赋。一些天赋依靠发现，一些天赋依靠鼓励，还有一些天赋由后天赋予，可以叫“后赋”。但有了天赋的最基本条件，还要看在相应的敏感期中，是不是得到了相应的发展环境。这就叫潜力开发。

一个不到3岁的孩子到了音乐的敏感期，每天都“弹琴”，用手指在桌子上、暖气片上、书上、膝盖上不停地弹着。值得高兴的是这个敏感期被家长发现了，遗憾的是家长没有条件买钢琴，孩子的妈妈只能遗憾地眼看着这个敏感期像流水般逝去。几个月后，这个孩子到了绘画的敏感期，天刚亮，就要画画，父母睡觉，给了孩子一些纸，孩子画完后，便在床单上画……孩子的妈妈说，自己一点艺术细胞都没有，也只能看着孩子的敏感期过去……过了6年，这个孩子的乒乓球打得非常好，因为在孩子运动的敏感期出现时，妈妈下决心送孩子进了乒乓球少年班。

音乐的敏感期到来时，我们为孩子提供经典音乐。早晨，我们让音乐唤醒孩子。平时带孩子参加音乐活动，听音乐会、看芭蕾。没有条件的家长可以找DVD在家里和孩子一起欣赏。绘画敏感期到来时，可以带孩子看画展、和孩子一起欣赏画册……这些活动都可以进行，只是要持续进行。就像校园里常播放着经典音乐，墙面上常挂着世界名画……这样你就为孩子提供了一个基本可以满足孩子需求的文化环境了。

伴随母爱，儿童心智全面发展

主人公：毛毛，2岁半~6岁

妈妈，上主题课

女儿范嘉欣2岁9个月了。每天下班回家忙乎完晚饭，我都精疲力竭地直想上床睡觉，但女儿会在这时精神抖擞地跑过来：“妈妈，上主题课！”看着女儿天真的小脸，我迅速调整状态，打起十二分的精神给她上课。

从阅读开始，我认真进行每一个内容。孩子静坐的时间从最初的两三分钟增至五分钟，我常常暗自吃惊：2岁9个月的她有如此好的定力，正襟危坐，仿佛真的进入了境界。

每天的主题课内容都不一样：开门，关门，翻书，咳嗽，擦屁股，轻拿轻放……我示范完毕，她一丝不苟地进行模仿，每个动作都小心翼翼。我越来越认真，生怕哪一个不完美的动作影响她。杜威说过："生活就是教育。"

该走线了，女儿的小屋里没有录音机，她用她的玩具代替录音机，煞有介事地按一下，然后让我跟随着她的动作和节奏走线，走线完毕还会再去按一下玩具，一招一式都透露出严谨与秩序。

如此这般我们每晚进行。我不知道她在学校是怎么上主题课的，是她特别喜欢主题课，还是我跟她一对一地上感觉更好？或者是她在学校的主题课没有得到满足……

无论如何，我都相信这样的主题课对她有帮助，如果她需要，我会打起精神，不厌其烦地进行下去。

（段武宽　毛毛妈妈）

＊孙瑞雪：

养育孩子需要付出巨大的爱心、耐心、精力、时间，需要常常面对被放下的自我。这就是母亲，无论怎样忙，怎样累，只要孩子需要……

而孩子为了成长，会把全部的激情和精力投入到自我的创造和成长的需求中，这就是孩子，他们从不偷懒，只要自身发展……

在家里上主题课，并不是必需的，但只要孩子喜欢就可以进行。学校的主题课，每次都有新的主题，通过一些固定的程式让孩子学会文明的生活用语和高雅的举止，分享自己的内在世界和学会面对外在环境。

我们小的时候几乎没上过主题课，满大街的马路广告牌都在召唤着精神文明。如果让孩子在幼儿园的几年时间里天天上生活主题课，我们还用担心整个社会的文明程度吗？

西　天

每晚临睡前，女儿都让我给她唱歌或读诗。

今天还是老样子，她选我读。第一首她选了《蜻蜓》，第二首选了《蘑菇》，第三首是《打翻了》，每次她都将《打翻了》说成太阳，因为这首诗的第一句是“太阳打翻了……”

读了一遍《打翻了》，女儿要求再读一遍，我读完后她又要求再读一遍，我边读边看着她，她的两只黑眼睛眨巴着，不知在想什么。

读完这遍，女儿突然对我说：“妈妈，应该‘太阳打翻了，金红霞流满西天；西天打翻了……’”天哪，她竟然发现了诗的韵律！正当我激动得要去亲她的小脸时，她又说：“妈妈，‘太阳打翻了，金红霞流满西天’的‘西天’就是‘白龙马，蹄儿朝西’里唐僧西天取经的‘西天’。”

尽管此“西天”非彼“西天”，我也不愿再解释，总有一天她会弄明白这两个“西天”的区别，此刻我要做的是，给她一个紧紧的拥抱！我为她骄傲，为她的发现和配对而骄傲！

（段武宽　毛毛妈妈）

附原文：

打翻了

台湾　张晓风

太阳打翻了，金红霞流满西天；

月亮打翻了，白水银一直淌到我床前；

春天打翻了，滚的满山满野的花儿；

清香打翻了，散成一队队的风；

风儿打翻了，飘入我小小沉沉的梦。

* 孙瑞雪：

在宁夏蒙特梭利国际学校里，老师给家长发的一张阅读书目的下面，写着这样两行字：“你或许拥有无限的财富，一箱箱的珠宝和一柜柜的黄金。但你永远不会比我富有——我拥有一位读书给我听的妈妈。”

临睡前，陪伴在孩子床前，在一束柔和、明亮的灯光下给孩子读优美的童话故事书，让孩子的心积淀生活的诗意，积淀妈妈爸爸的爱和对童年温馨的回忆。在这种氛围里，儿童发现着，创造着，成长着。

儿童在临睡前的读书需求，是一个世界范围内的普遍现象。可以给孩子读各种各样的书，如写实的、科幻的童话书，百科全书等，但必须是大师们写的，意识接近真善美，心态健康美好，逻辑严谨，语言优美，内容适合儿童心灵发展。

记得看过一部著名电影：主人公向法院申请一名小孩的抚养权，可他并不是孩子的父亲。

法官问道："你的理由呢？"

男人说："我……我睡觉前给他读书。"

孩子说："他给我读书。"

看，这是一个多么诱人和动人的理由。

不让妈妈打电话

晚饭后，我和范嘉欣坐在沙发上，边吃水果边聊天。

这一段时间，范嘉欣每天晚上都让我陪她，或者说说话，或者读读书。有时，我想让她独自玩一会儿，我去干干家务，只要我一起身她就会大声尖叫："妈妈！妈妈！"

上了一个月的幼儿园，范嘉欣似乎变了个人。从前安静、平和的她变得焦虑、烦躁，她甚至有时会揪住我，用手打我："不让妈妈上课，就不让妈妈上课！"在她心里，我应该就是她的妈妈，但到了幼儿园，我却成了"老师"，可能这一角色的转换让她无法接受。

电话铃响了，我准备起身接电话。"不让妈妈接电话！"她光着脚跑到电话旁："喂，请问你是谁？爸爸不在，上山去了，再见！"接完了这个电话，陆续又接了几个，都是找她爸爸的，她的回答都一样。

整个晚上我们坐在沙发上。我终于打消了干家务的念头，因为女儿更需要我。

快9点的时候，我突然想起一个好友生病，我一直未打电话慰问，赶紧拨通电话和她聊了起来。范嘉欣坐在沙发上注视着我。聊到近20分钟时，她突然大声尖叫起来："不让妈妈打电话！"这声音吓着了电话另一头的朋友："你女儿怎么了？"未等我回答，范嘉欣已经从沙发上冲了下来，一边大声尖叫："不让妈妈打电话！"一边乱按电话键。我结束了通话，这时范嘉欣已泪流满面。

"毛毛，你怎么了？"我抱着女儿温柔地问，范嘉欣一边抽泣，一边小声地说："不让妈妈打电活，就让妈妈陪毛毛。"

我心一沉。一天中只有这段时间我和她独处，她需要的是一个全心全意陪她的妈妈，而不是人在她身边、却屡屡分心的妈妈！

（段武宽　毛毛妈妈）

＊孙瑞雪：

无论是成人还是孩子，面对新环境，都需要一段时间的适应和接纳的过程，这个过程是一个心理历程。心路历程，自然只有自己度过，但需要一个爱者陪伴。这是孩子和成人都需要的。但是由于孩子在成长，成长的内容就长成在孩子的细胞和意识中，所以就需要父母全身心的陪伴，不需要做太多的事，陪伴就非常好了，有了陪伴，孩子就会自己处理内在的失衡和不安全。顺利走过这一段，未来再有这样的经历，心理历程就会短一些，再短一些……

涂画的乐趣

范嘉欣已经4岁了。最近一段时间她对剪、贴、涂等手工制作产生了浓厚的兴趣。

美工区准备的涂色工作中有复印的《哪吒传奇》人物谱，有拓印并打印出来的卡通动物，有老师们手绘的一些材料，教室里的环境准备工作可以说很充分。对于范嘉欣来说，最喜欢的莫过于涂《哪吒传奇》中有漂亮的头饰和长裙的石姬和妲己娘娘。这些复杂的人物轮廓线在孩子们的手中，经过几种色彩鲜艳的彩色蜡笔的搭配，一个漂亮的石姬就出现在面前了。为了使她们的服饰看起来更漂亮一些，范嘉欣和另外几个女孩子还将胶水涂在了石姬的漂亮衣服上。刚开始我并不明白为什么这样去做，是不是要在上面粘东西？听了她们的解释才知道那叫“亮晶晶”，这样石姬的衣服上就有一闪一闪的光亮的效果。甚至有一次闫昕楠从家中拿来了一瓶妈妈送给她的白色带有银粉的指甲油，她们也马上把它应用到画中，这样一来可真成了名副其实的“亮晶晶”了。这幅画经过这样一番修整，还真是润色了不少呢！

有时范嘉欣还很有创意，会自己先画一幅画，然后将美工区剪贴画上的小人、小鱼、小花什么的剪下来，粘贴在自己的画中，这么一番下来，一幅独特而生动的画就完成了。类似这样的工作她可以持续一上午而乐此不疲。她手中的工作井然有序，有时甚至情不自禁地哼起了小曲，那副悠然的样子让我们看了都羡慕几分。能够这样沉迷于快乐的工作，作为成人又有几个人能够做到呢？

当然，给她带来更大快乐的是将她的杰作分享给别人。我和王文欣就成了这些画的受益者。

（王芸）

*孙瑞雪：

在某个敏感期中，儿童对敏感的对象因为感兴趣而投入，因为投入而持久、专一。他不仅热爱，而且要出成果。不仅要出成果，而且要结合生活。不仅要结合生活，而且要求被欣赏和承认。在爱和自由的教育中，要培养和保护的就是这种品质，这种专注、投入的品质。

语言的敏感期

最近一段时间，毛毛（5岁3个月）会经常问一些问题。

“妈妈，焦虑是什么意思？”最初，我只是将我知道的词语的意思告诉她，后来发现她问得越来越多时，我才意识到，这可能是她的又一个敏感期到来了：对词语和概念的敏感。于是我开始慎重对待她的每一个提问。

“妈妈，郁闷是什么意思？”当她提问时，我会拿出词典，找到词语的解释，读给她听。过了两天，我听到她说：“家家生病了，今天没来，我很郁闷。”啊，她显然已经理解了词语的意思并能使用了。

提问，解释，使用，积累。渐渐地，她能用自己的理解去解释一些简单的词语了，这样的情形持续了2个月左右。

（段武宽　毛毛妈妈）

*孙瑞雪：

当儿童5岁时，对语言里的概念和不知道的词汇就格外敏感，他们非常善于在一句话里，准确地把某一概念拣选出来。比如，在读书时，读到《白雪公主》，他们会问：“人生是什么？”“什么是幸福？”读到《美人鱼》时，他们会问：“灵魂是什么？”平时说话，他们也常常会拣选一个词或是概念来问你。例如，“妈妈，什么是自律？”“什么是幸福？”

儿童对语词的使用和解释来自真实的生活，来自语言环境，来自自身体验和语言的配对，来自听妈妈和老师阅读时对自己内在的体悟，来自同伴，来自自由地使用语言，来自成人的语言环境，尤其来自父母和教师。当父母和教师的语言简明准确时，孩子就有了发展语言的环境。

然后就是自由，在自由中，放松的儿童可以感受自己、感受他人、感受环境，捕捉可以准确表达的声音，并马上表达出来。当儿童可以自由地表达时，那声音就不是语言本身了，它就伴随着力量、真实和深刻，这样孩子的语言能力就会很好。

科学教育的效果也表现在语言上。家长改变了随意的说话方式，这种改变不仅在语言本身的准确上，它还给了孩子一个良好的人文环境。

语言具有力量感、文化感，语言也是思维的外在表达，甚至就是思维本身。对于儿童来说，捕捉语言当下的感觉并马上说出，非常重要。这是实践语言和语言思维的最佳模式。

印度有一位大师说："头脑和头脑的沟通是语言，心灵与心灵的沟通是感受，灵魂与灵魂的沟通是沉默。"当下表达，使儿童有感受又有语言，当儿童可以高度精准地沟通时，沉默就成为儿童表达的一部分。

随便给

中午吃加餐的时候，范嘉欣拿着一袋薯条。王清滢看见了走过来说："可以给我一根吗?"范嘉欣看了看她说："我不想。"王清滢说："我早晨都给你分享我的爆米花了。"范嘉欣拿着自己的薯条翻过来又翻过去，说："我现在不想打开。"王清滢很无奈地走了。这时可翌呈走过来说："可以给我一根吗?"范嘉欣说："我不想打开。"可翌呈笑了笑走了。

等到焦家玉吃完加餐后，范嘉欣打开了薯条袋，给了焦家玉几根，然后自己开始津津有味地吃了起来。王清滢又走过来说："我用我一袋爆米花换你所有的薯条行吗?"范嘉欣边吃边说："不行。"王清滢抓了一把爆米花放在范嘉欣的手里说："你吃吧。"范嘉欣拿着一大把的爆米花说："那我给你多少?"王清滢说："随便。"范嘉欣给了3根并在她的手里摆了一个"大"字。王清滢高兴地说："再给我摆一个'小'字。"范嘉欣看到剩下的薯条说："我剩下的已经不多了，而且你已经说随便给了呀，我就随便给了你3根，你就不能再要了。"王清滢皱着眉说："我给你一大把，那你随便也要给我一小把呀。"这时焦家玉和董家羽也说："随便给没有分多少的，她想给多少就给多少的。"王清滢看了看她们笑着说："那好吧!"

（王春霞）

＊孙瑞雪：

在孩子的关系中，总会出现你的、我的……我如何保留我的，你如何保留你的……我如何在你的和我的之间选择……我如何听从我内在的声音而拒绝你，你如何面对被拒绝而尊重他人……我如何在交换中保持我内心的平衡，权衡我真正的需求……我如何面对你给我的压力，而不失去自己，你如何在被接纳或者被拒绝中，都感到愉悦而保持自己。

这是心理的界限，这个界限促成了孩子的规则意识和尊重意识，这是在幼儿园里和同伴自由交往中完成的，不是长大后再学的。脱离生活的“学”是无法真正获得的，无法与他人自由相处的。

生活中的数学

今天范嘉欣带来了一本水晶饰品宣传册，上面有各式各样的饰品介绍，包括项链、项链坠、手镯、胸针、手袋、手表、手链、耳环、烛台、花瓶、戒指、相框等。

她兴趣盎然地拿给我看，我看着这些晶莹剔透又价格不菲的饰品介绍说：“哇，好贵呀！”

她说：“丁老师，你看这个手机链，一条300元，一共有3条就是900元。”

我笑笑说：“你都能计算这么大的数字啦！”

她说：“我有1000块的压岁钱。”

我说：“是吗？你好富有啊！”

她又指着上面的一套水晶饰品说：“我最喜欢这几样，一共是440元。”

我说：“对，也很贵嘛，我也挺喜欢的。”

她说：“就是交400元再加40元。一共有4个，1个多少钱？”

我回答说：“一共有4个，440除以4就是110元。交100元再交10元，就能买到1个对吗？”

她想了想说：“对。”

接着她一页一页往下翻，让我读名称和价格。她指着一件摆件（400元）和一件水晶饰品（440元）说：“我的压岁钱能买这两件呢！”

我说：“可以买到，而且还剩余160元呢！”

她指着一个2050元的手袋说：“看，这个有这么多钱呢！”

我读着：“2050元。你还得攒1000元的压岁钱才能买到。”

她说："还要再加50元呢！"

我点头说是。

最后她叹息说："可惜买不到，这些都在国外。"

儿童到了学前班就出现了数学的敏感期，她们先通过教具的具体导入建立准确的数的概念，然后再通过生活中的数字来证实自己所掌握知识是否牢固，这是一个从具体到抽象的过程。

（丁红霞）

*孙瑞雪：

本来孩子是在和老师谈论饰品，结果变成了真真实实的数学计算，这正是数学敏感期孩子的特征。对于孩子来说，任何所学的知识，一定要被使用在生活中，这个实践的过程便是肉体化的过程。就像孩子得到一块手表，那一天，他大概几十次地告诉父母现在几点了，这样的过程就把时间、时钟……彻底内化并搞清楚了。这正是孩子的学习方式，实际是一种生活，当"学"成为了生活，才叫乐趣，才叫学。如果所学的知识被头脑锁在一个和生活隔断的系统中，那真的就叫"学习"了，学习成为了痛苦。

第2章

0岁~2岁半

视觉——刚生下来，对明暗相间的地方感兴趣。

口——包括用口进行的味觉、触觉过程。用口感觉事物、认识事物，不断练习使用牙齿、舌头。

手——喜欢抓东西，用手探索环境、认识世界。

走——从最初的要成人拉着手跳，到独立行走，到要上下坡、爬楼梯，到专门爱走不平的地方。

空间——喜欢探索空间，最早表现为爬、抓、移动物体等，稍大一点则喜欢爬高、旋转、扔东西等。

细小事物——对极小而精致的东西感兴趣。

秩序——急切需要并保护一个精确且有秩序的环境。

模仿——最早表现为模仿一个词或一应一答，重复进行，也模仿动作。

自我意识——表现为咬人、打人、说“不”等。

审美——要求食物或用具必须完整。

视觉

——刚生下来，对明暗相间的地方感兴趣。

小托蒂的悲剧

一个名叫托蒂的意大利小男孩有一只十分奇怪的眼睛。说“十分奇怪”，是因为眼科大夫多次会诊得出的结论都相同：从生理上看，这是一只完全正常的眼睛，但它却是失明的。一只完全正常的眼睛何以失明了呢？

原来，当小托蒂呱呱坠地时，这只眼睛因轻度感染被绷带缠了2个星期。正是这种对常人来说几乎没有副作用的治疗，对刚刚出生、大脑正处于发育关键期的婴儿托蒂造成了极大的伤害。由于长时间无法通过这只眼睛接收任何外界信息，原先为这只眼睛工作的大脑神经组织也随之衰退了。

小托蒂的遭遇并非偶然。后来研究人员在动物身上做了很多类似的试验，结果都一样——生命的器官严格执行着“用进废退”的原则。

（杨傲林）

＊孙瑞雪：

小托蒂的悲剧在于错过了眼睛受光的敏感期。

经验证明，在各个敏感期，如果儿童受到干扰和阻碍，不能正常使用他们的身体的各种功能，相关的功能就会丧失。不使用鼻子，鼻子就会失嗅；不使用耳朵，耳朵就会失聪；不使用眼睛，眼睛就会失明。

在我们的现实生活中，当婴儿开始使用口和手时，成人的干涉就开始了。这种干涉刚开始还限于一些老人、低龄保姆和少数无知的父母，随着幼儿的活动越来越频繁，成人的干涉就越来越多。当儿童开始使用他自己的意志和思维时，成人的干涉会更厉害。

试想儿童不能自己思想，不能使用自己的意志，那意味着什么呢？

视觉的敏感期

文 ◎ 孙瑞雪

荷兰的植物学家、遗传学家德佛里斯列举过这样一个例子：他发现雌蝴蝶本能地把卵产在树枝和树干交接的地方，这个地方既安全又隐蔽，当幼虫出壳时，它对光线非常地敏感。光吸引了它，它朝着树梢最明亮的地方爬去，恰巧在那里有它赖以生存的食物：树梢的嫩叶。当它长大后，失去了对光的敏感，这种本能也就失灵了。植物学家把这称为动物的敏感期。

一个刚刚出生的婴儿，是怎样感觉光的呢？在黑暗的隧道尽头，一个光点出现了。因为在黑暗中，这个光点显得格外奇妙、明亮和有意义。光点逐渐变大，但它依然在黑暗中，强烈的光明与黑暗的对比，使得这一点光充满了意义。直到光明完全吞噬黑暗，就好像一下子扑进光的怀抱中，光明包围了婴儿。婴儿扑到了光里，进入了另一个世界。

刚出生的婴儿，会到处寻找淡淡的阴影和阴影的边界，随着时间的发展，婴儿很快就能寻找到生活中那些明暗相交的地方：一幅画、窗帘或者书柜里的书产生的那些明暗相交的地方，婴儿会高度投入地一直注视着那些地方，直到疲倦为止。这不同于人们想当然认为的彩球对婴儿更具有吸引力。

罗曼·罗兰在他的巨著《约翰·克里斯朵夫》中也有描述——从黑暗墙壁上高高的窗户射进来的光线，给婴儿带来了第一个惊喜和欢乐。

哈佛大学的戴维·H. 休伯尔和托斯特·威塞尔对视觉的敏感期非常感兴趣。他们发现了一个一只眼有先天性白内障的孩子，在做了白内障摘除手术后仍然不能复明。然后他们做了一个模拟实验，同时把一只新生的小猫和一只成年的猫眼皮缝上，实验的结果是这样：小猫眼皮的线拆除后，依然失明。这是因为小猫脑内负责处理那只眼睛的视觉信息的神经元不能和其他神经元建立联系。或者说负责处理失明的这只眼睛，视觉信息的神经元即使和其他神经元建立了联系，也只是帮助另一只眼睛传递视觉信息。而成年猫则不然，拆线后它的视力立刻恢复了正常。

这一实验的结果表明人在早年的某个特定阶段，脑内的神经元需要适宜的环境条件，以便使其和其他的神经元发生联系。否则，大脑的发育会受到永久性的影响。

婴儿视觉的敏感期是在出生时唤醒脑内神经元的工作，或者说，这是一种脑内完全的建构工作，所以这个时候，儿童的视觉从不会偏离在生活环境中的明暗相交的地方。这个过程结束后，视觉将在孩子出生后头6年的过程中产生意想不到的作用，有的教育家甚至认为儿童对外在世界的认知靠的就是一只大眼睛，好像我们说的外星人一样，只有一只大大的眼睛。这样的说法实际就是为了强调视觉对儿童的重要性。

实际上，对一个出生后头半年的新生儿来说，尽管他同时具备其他的感觉能力，如听觉、触觉、味觉，但是在头半年的发展中，视觉和味觉在他的发展中就像一首交响乐中的主旋律一般，起着至关重要的作用。

当婴儿畅通无阻地度过了一个敏感期时，他就走过了一个发展的台阶。这给婴儿带来了愉悦和持续性的满足，也释放出了婴儿生命中的能量。这也是婴儿从出生到认识、了解自己和这个世界的过程。

□

——包括用口进行的味觉、触觉过程。用口感觉事物、认识事物，不断练习使用牙齿、使用舌头。

迟到的口腔敏感期

2岁的森森近来出现了口腔敏感期。

午睡时，他先用一只手背不停地轻轻拍打自己的嘴唇，接着把大拇指塞在嘴里吸吮，几分钟后又把食指塞进嘴里吸吮，就这样一个指头一个指头轮流塞进嘴里，最后5个手指一同塞进去。整个过程他的表情很放松。

吃饭时他也用嘴玩勺子。先把勺子放在嘴里不停地咬，不停地往嘴里伸进拿出，伸进拿出；接着又咬勺柄的前端，也是不停地伸进拿出，伸进拿出；最后把整个勺柄往嘴里塞，可能想感觉勺柄的长度，有两次竟把刚吃下的饭呕了出来。整个过程他的表情仍然很放松。

同时，森森还把教具中的珠子、生豆子放进嘴里不停地咬，同时用舌头控制着珠子，在嘴里不停地换位置。

还有一次，他竟然在衣帽间里咬一只鞋的后跟，当即被薛老师制止并拿走鞋后，他马上拿起另一只鞋接着咬，一副迫不及待的神情。最后老师把他抱离衣帽间时，他还恋恋不舍地回头望着那只鞋。

（吕景玲）

＊孙瑞雪：

儿童口腔的敏感期在半岁左右来临，婴儿首先要使口的功能建立并独立起来，其次才用口来认识世界。显然，由于家里过度的保护，淼淼口腔的敏感期推迟了。

我们还观察到，部分2岁的孩子在咀嚼一些食物（如馒头、面包、硬一些的水果）时，口形和咀嚼的方式像老人，牙齿无力。显然，2岁以前他们吃的食物几乎都是稀软的。在长牙的敏感期，应该给幼儿提供较硬的食物让他们练习咀嚼，他们常常会嚼了吐，吐了又嚼，但从不咽下，有时会被卡住，但幼儿会自我调整。华亭的幼儿苑里，一些孩子2岁多时这个敏感期仍未度过，他们最爱吃的水果是梨、萝卜（我们把萝卜当水果用），最爱吃又便宜又硬的饼干（大概是嫌高级饼干太酥了）。咀嚼时又专注又认真又满足。很多小床的边缘都被孩子们的牙齿啃坏了。

口腔敏感期过渡时间的长短跟所提供的满足条件有关。口腔敏感期严重得不到满足的孩子会抢别人的食物，随意拿别人的东西，捡掉在地上的食物，注意力固定在食物上而无法学习。建议家长在发现孩子进入此敏感期或尚未顺利度过这个敏感期时，一定为孩子提供自由选择和享用食物的机会。

根据我们的观察，儿童敏感期被延误后，有的敏感期因为孩子年龄已大而不再出现，但有的敏感期却总要出现，如口腔敏感期。

爱咬人的玮玮

一天中午刚吃完饭，2岁的小男孩玮玮就把明明的手咬了。明明大哭着，玮玮满脸歉意和恐惧，语无伦次地为自己辩解，说是为一个玩具吵了起来，然后就用牙齿咬了明明。

我觉得有点奇怪。玮玮是一个很乖巧、语言表达能力较强的孩子，平时没发现他有侵犯性行为，为什么会咬小朋友呢？解决了他们之间的矛盾后，我突然想起，前几天发现玮玮在用嘴巴啃桌子，很是“津津有味”。当时我还以为他是无聊，就提醒他去工作。现在想来，玮玮可能是在用舌头和牙齿感知物体，探索环境。

第二天刚吃完加餐，几个孩子爬栅栏玩，玮玮也在其中。老师在旁边看着他，以防再次出现意外。玮玮正和洋洋跳垫子，只见他突然抱住洋洋在洋洋脸上咬了一口，速度之快让老师猝不及防！

老师抱起洋洋，她的脸上有了一圈牙印，而玮玮似乎没有意识到自己做了什么，愣愣地看着洋洋，不知所措。下午玮玮的妈妈来接他时，老师跟她谈了这件事，妈妈很生气，说玮玮在家也咬爸爸的手。

（文文）

＊孙瑞雪：

我们发现一些2岁左右的孩子会出现用口腔即舌头、牙齿探索环境的敏感期，这个敏感期应该在2岁以前完成。儿童出现这些现象时家长一定要注意，使儿童顺利补上口腔的敏感期。

玮玮是在用“咬人”这种方式来弥补自己落下的口腔敏感期。我对他妈妈说：“这些天留意玮玮，给他提供可以咬、尝的东西，比如橡皮圈，各种软硬不同的食物，干净的、不同质地的物品等，以满足他的口腔的味觉和触觉。”在老师和家长的共同关注下，过了一段时间，再也没有发生玮玮咬别的小朋友的事。

儿童无意中用口、用牙齿认识事物，和人有意使用牙齿攻击有着本质的区别。儿童长牙时要使用牙，舌头发育时要使用舌头，这是1岁左右孩子的特点。

很多孩子在2岁左右开始“咬”人。这时我们给孩子们提供了一些东西，如大象的鼻子等，但效果不是很好，有时孩子会明确告诉你，咬橡胶不好，咬皮肤的感觉才好。咬皮肤似乎能很快满足这一敏感期，并让孩子迅速度过这个时期。然后，儿童会出现高度的宁静和下一步的智能需求。

口的敏感期

文 ◎ 孙瑞雪

坐在火车上，我看到一个3个月左右的婴儿，躺在妈妈的怀里，正高度专注地将手往嘴里放。努力地试了好几次，他成功了，顺利地吮吸着他的手，发出很大的“吧唧吧唧”的声音。母亲低下头，满脸笑意地说：“不讲卫生，不讲卫生。”一边说着，一边将婴儿的手从他的嘴里拿出来，婴儿突然恼怒地哭了起来，母亲依然笑着说：“哦，宝贝你怎么了？哪里不舒服？尿湿了吗？”我笑着对她说：“他正在工作，你打扰了他。”

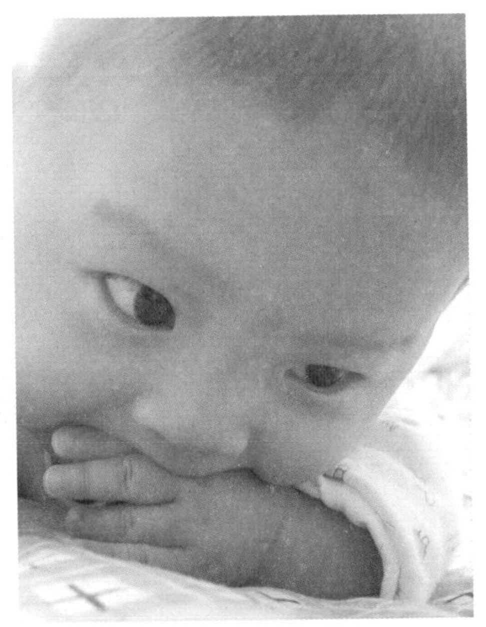

＊口不仅仅用来进食，在最早，口肩负着一个重要的使命，就是用它来唤醒身体的其他部分，并且用它来认识外在的世界。

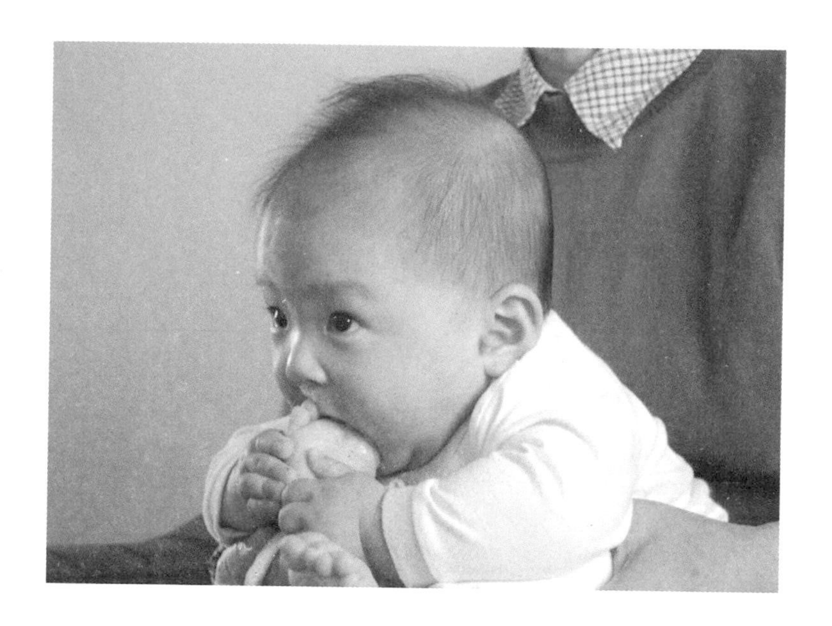

看到她脸上一副茫然的样子，我说："吃手就是他的工作，等他的手再放进嘴里，他就会安静下来。"母亲听完，半信半疑地将孩子的手放入口中，小婴儿便立刻发出"吧唧吧唧"的声音，满足地投入到了这种吮吸中。对一个3个月的婴儿来说，他能用口首先是为了发展和独立口的功能。其次，他使用口来认识的先是他自身，他要认识甚至是唤醒自己的身体，他通过这样的吮吸来把手解放出来。最后，他用口来认识这个世界。他手的感觉是这样开始的，他的世界也是这样开始的。

小哲哲10个月了。他坐在那里，周围摆放着一堆的玩具。他玩耍的方式是这样的：抓起每样东西都往嘴里放。我们看到，他品尝完积木又抓起了橡皮牙子，然后是塑料圈。他那充满激情的样子，整个身心都投入在用口上，好像这个世界是不存在的。他高度专注的状态，似乎要把所有的东西全部塞进他的嘴里。实际上，哲哲这样做已经有好几个月了，无论他抓到什么都不自觉地往嘴里放。有时候妈妈刚一转身抱起他，他已经抓起了一条毛巾往嘴里塞，有时候妈妈衣服上的一条带子也被他抓起来塞进嘴里。能吃的塞进嘴里，不是吃的也塞进嘴里。

我们这样猜想：他究竟在用嘴干什么？他在用口来认知？这些东西究竟让他感觉到什么？在我们成人看来，无非是这样的：硬的和软的，无味的和有味的，不同质地的，可吃的和不可吃的，还能有什么呢？但对一个幼儿来说，他正是用这种方式感觉他口的各种能力，口的部位功能以及口的极限。与此同时他也在体验着他周围的世界，在学会选择他究竟能够把哪些塞进他的嘴里，建构只属于他的自我世界。而这些是同步进行和完成的。

我们把小哲哲长达几个月的这一过程，称为儿童的口腔敏感期。

当儿童出生时，他能够使用的唯一的器官是他的口、眼睛和体感。尽管他刚一出生便有了视觉的敏感期，但脑科学认为儿童的视觉并没有达到完善，他看世界时是模糊的，而口不一样，他刚出生时就能熟练地使用——口是他连接自己和这个世界的最自然通道。最初儿童仅仅是用口认识手，发展到后面，儿童会用口认识周围所有的一切，什么东西都能放到嘴里。这个过程也完成和健全了口的功能。并不是儿童不知饥饿，仅仅是因为儿童是用口来认识世界的，直到手被完全地唤醒，手的敏感期到来，又帮助和加快了口的敏感期的发展。直到儿童无处不在地到处触摸，口的敏感期就这样逐渐过去了。

我们可能永远都无法知道这些究竟给幼儿的是什么样的感觉和认知。但有一点是肯定的：全世界的幼儿都是通过这个过程走向我们这个可触摸的世界，他们是用嘴来打开这个世界的大门的，用嘴来和这个世界建立亲密关系的。这样的一个过程对幼儿的发展是必不可少的，是生命的初始。没有这个阶段，未来的成长就会有很多的缺憾，这个时间段要持续1年，物质世界的大门就这样用嘴来打开了，为孩子伸出双手迎接世界做了一个最早期的准备。

手

——喜欢抓东西，用手探索环境、认识世界。

手的敏感期

吉祥6个多月了，妈妈给吉祥剥了一个橘子。吉祥用胖胖的小手把一瓣橘子送到嘴里。怎么这么难咬？于是又吐了出来。吉祥把橘子放在手里观察了一会儿，然后用手剥开了橘子膜，果汁流了出来。吉祥似乎猜到了这个像水一样的东西味道不错，于是又把那瓣橘子放进了嘴里。果然，小家伙眉开眼笑了。小家伙以后就这么吃了，哈哈。

从8个月开始，吉祥开始尝试自己吃饭（每次喂饭都让我和宝贝感到很沮丧，因为快乐第一，于是我就不喂饭了）。当然吉祥是不会用餐具的，直接捧着碗喝或者用手抓，每次都吃得哈哈大笑，酣畅淋漓。从头到脚都能吃到饭，基本不会忘记身上的任何一个部位，呵呵。

＊八九个月的时候，手非常喜欢抓捏黏稠和软的东西。反复抓捏之后，再放进嘴里品尝，这是孩子这个时期最喜欢的，孩子喜欢抓面条、抓草莓、抓香蕉，抓蛋糕。黏稠的东西比沙更容易被儿童抓捏住，并在孩子的抓捏之下完全改变。这实际是一种智能的活动。

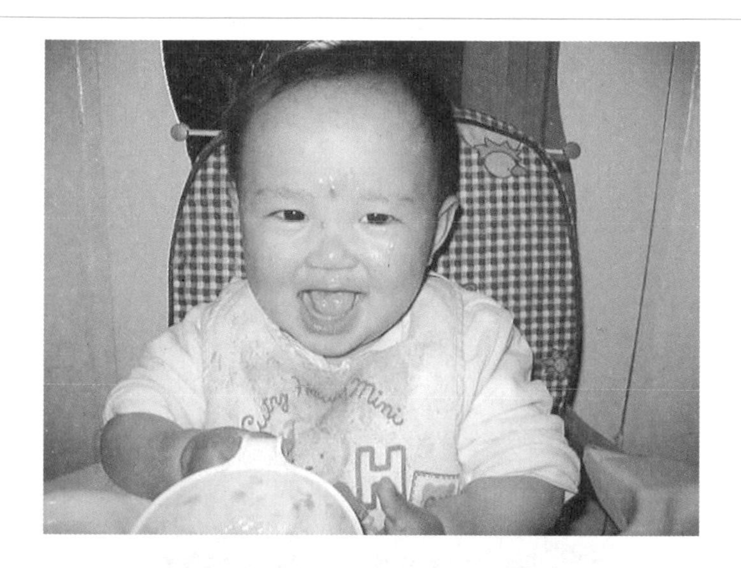

吉祥9个月，初夏，各种水果陆续上市，草莓、番茄……吉祥每次吃到新鲜的水果都开心得不得了，而且一吃三用。一部分吃进肚子补充了维生素，另一部分直接涂到脸上身上做美容了，还有一部分当染料，顺便把衣服换个颜色，外面绝对买不到的颜色，呵呵。

已经1岁多的吉祥，最近学会自己剥香蕉皮、鸡蛋壳了。她剥皮的时候超级专注，做完以后也很有成就感，吃得很开心。

（吉祥妈妈）

＊孙瑞雪：

只要可能，婴儿会抓捏一切到手的软东西，果酱、面条、香蕉、蛋黄、炼乳、泥巴……

坐到餐桌前，孩子喜欢吃饭时用手抓饭，玩饭。甚至趁成人不留意时，孩子会抓“屎尿”，去体验那“黏糊糊”的手感……

记得有一种玩具，软乎乎、黏糊糊的，像大鼻涕一样，扔哪儿粘哪儿，十分受孩子的欢迎。很多成人不理解——孩子怎么喜欢玩这种恶心的东西。

八九个月的幼儿非常喜欢抓捏软的物体，手的活动不只是手的活动，而是有着智能的目标。成人常常因为无知，给儿童设置了很多障碍，剥夺了他用手的自由，也剥夺了他认识世界的机会。

三指抓

淼淼最近开始练习用三指、五指抓东西了。刚开始他喜欢抓大的模具，把一个物体从一处抓到另一处，后来抓教具和小图钉，整个手指都伸进去，但马上发现这样抓有危险，又赶紧把手缩回来，回头望望我。我向他演示正确的三指抓的姿势，他小心地、轻轻地用三指抓起了几个小图钉。

这以后，淼淼更喜欢用自己的小手插笔管、拿小教具、两指拿豆子，每次完成后都满足地离开，再寻找另一项工作。

淼淼在自由的环境中不受打扰地发展着自己，用他独有的方式变换着教具的用途。

（王莉）

＊孙瑞雪：

手的敏感期到来时，儿童有一个抓的过程——一把抓，三指抓，二指抓。淼淼手的敏感期有点晚了，他尽可能快地追赶着。此时教师要为儿童提供可发展的东西，帮助儿童尽快完成这个过程。

童年期锻炼用手非常重要。我们常看到很多成人不会用手或者很笨拙，不会拿筷子，不会按键，不会用手指夹围棋子，不会点钞，不会拴绳索。这都和他们童年时期这方面的发展受到阻碍有关。

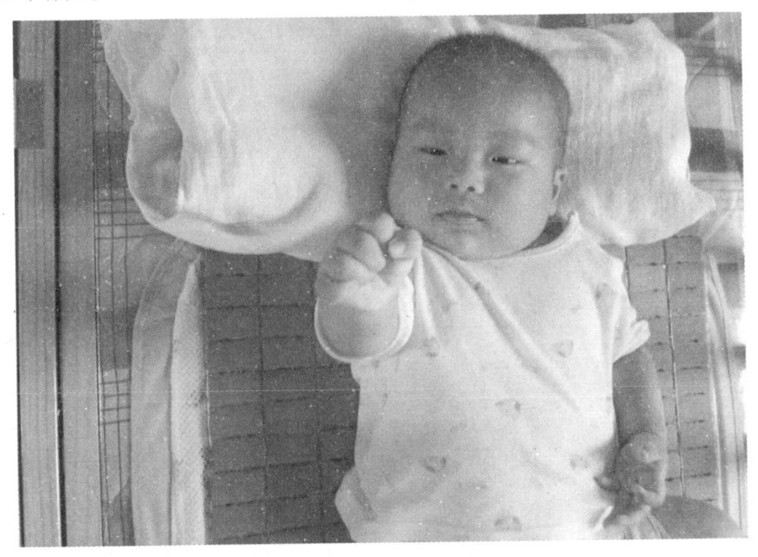

> ＊ 手在最早并没有被使用，而是他自身有一个练习的机会，就是不断地重复地抓和握。

敏感期出现的时间因孩子而异。如数学的敏感期，国际上很多幼儿的数学敏感期在3岁半以后出现，但我国孩子的数学敏感期普遍在4岁、4岁半来临，有的甚至在5岁以后。出生的头两年，孩子们的敏感期基本上是一致的。这期间孩子如果没有得到很好的发展，其他的敏感期会顺延。让孩子在6岁以前完成一系列敏感期是理想的成长状态。

自由的心理、爱的氛围、丰富的教具和大的活动空间是儿童正常发展的充分条件。

儿童在用手思考

文 ◎ 孙瑞雪

米开朗基罗在西斯廷礼拜堂做的天顶画《上帝创造亚当》这幅画里，亚当躺在地上，上帝的手一触，使他醒来……画面核心位置展示的是两只手：一只是上帝的手，指向亚当；一只是亚当的手，向上帝伸出去。这两只手似乎蕴涵着某种秘密和含义。“最伟大的艺术奇迹之一就是米开朗基罗怎样想出了这种办法，从而使圣手的一触，成为画面的中心和焦点，他怎样通过造物手势的轻松和力量使我们体会到万能者的观念。”这给我留下了深刻的记忆，以至于这两只手，变成了我熟悉的一个情景。如果让我来诠释这幅画，我会这样诠释：人的意识的奥秘，可以依靠手来实施和诠释，假如没有手，所有的思想，即使是上帝的思想也无从实施。

手是人类智慧的工具。表现在儿童身上，甚至可以这样说：儿童是用手来思考的，手的自由的使用不仅表达了儿童的思维，也表达了儿童思考的过程，禁止了儿童手的活动，就相当于禁止了儿童的思考。

丁丁出生的时候，妈妈发现，丁丁唯一能灵活使用的是他头的转动，而头可以转动的原因好像是因为婴儿可以自主地支配他的口。口的感觉引导了他头部的转动。妈妈想，看来吃是婴儿或者其他生命的首要大事，大概这是生命赖以生存的途径吧。但是在近一个月内，妈妈又发现丁丁不断努力地把手往上举，有时候举到了嘴里，很满意……有时候举不到嘴里，划破了额头，看上去会有些懊恼。在头两个月里，丁丁就这样艰难地、不断地把手往嘴里放……这是他出生头几个月中最持续做的一件事情。

妈妈逐渐发现，丁丁用口吮吸着手，手被放进嘴里，成为他一种持续的活动，这种举动使他显得很满足。经过无数次这样把手往口里放，丁丁手的敏感度和准确度大大加强了。就好像依靠口的吮吸唤醒了手一样。这个观察的过程，使妈妈产生了一个想法：婴儿似乎不全是为了吃或者饥饿，吮吸手好像还有其他的用处……婴儿身体的一部分，好像在被吮吸的过程使用着，这个过程虽然很慢，但其后一定会有很大的作用。

在其后的过程中，妈妈又发现，丁丁手的动作几乎又快又准，当她弯身抱起丁丁的时候，她甚至都没发现丁丁顺势就抓起一个东西塞进了嘴里，这跟当初手放不进嘴里，有着多么大的差别啊！当丁丁的手到处抓着东西往嘴里放时，妈妈发现丁丁喜欢抓着一样东西然后松手扔掉，再拿起来再松手扔掉。不仅如此，他还喜欢拿暖瓶盖，盖住，再拿起来，再盖住，再拿起来……这个活动一做就是一个小时。有时候他喜欢抓握一样东西，抓住以后松开，再抓住，再松开。抓握的方式都是五个手指全上去，这个过程看起来真是奇妙。

几个月后，妈妈又发现丁丁的手不再是一把抓了，而是喜欢两指抓，抓细小的物体：毛线头、小纸屑、床上的一个小碎物。丁丁把东西抓起来后就塞进嘴里，有时候塞了满满一嘴的东西，掏出来一个又一个。这让妈妈大惑不解：从一把抓到两指抓，这肯定是一个进化，但为什么还是往嘴里放呢？

又过了不久，妈妈发现，丁丁喜欢更高难度的动作了，比如喜欢把吸管往软包装饮料里插，大人拿走后就会大哭，一插就是几十分钟。喜欢玩妈妈的钢笔，玩法跟插吸管差不多，喜欢反复将笔身插进笔帽。

又过了几个月，妈妈发现丁丁见方的就按，见圆的就拧……不仅如此，当他的腿可以带动他走动时，他到处翻、拉，里面的倒出来，外面的塞进去。有一天他发现了大米袋，他喜欢从米袋里抓大米，然后运输到另一个地方……乐此不疲。

再过些时候丁丁的动作已经发展到用一个指头就能准确无误地做一些事情了。又过了几个月，丁丁喜欢上了捏香蕉、捏草莓，把盘子里的食物抓来抓去，搞得黏黏糊糊，然后再放到嘴里。他竟然用手在感觉各种不同质地的东西。这让妈妈感到惊异，以前她认为孩子在活动手，但并未意识到：手，也在认知着东西。当妈妈观察到这些的时候，产生了一个奇异的感觉：好像手是大脑似的，在辨认着东西。发展到这里的时候，妈妈猛然醒悟过来，她的儿子从出生开始就在练习他的手。妈妈是个外科医生，她在想：难道儿子的手也需要如此精确到位吗？手拥有着大脑一样的功能吗？

事实上，如果一个人想要把他的想法表达出来，那他有两个最便捷的工具——语言和手。实现和完成就必须使用他的手，而且必须训练他的手来准确表达他的想法。手的肌肉有记忆和认知的功能。丁丁在头两年中，就完成了这样一个对于孩子来说，具有创世纪历程的工作——唤醒身体，而首先唤醒的是身体中最主要的部分——手。

妈妈了解到这个过程后，倒吸了一口冷气，因为在丁丁成长的这两年中，在丁丁每一个动手的环节中，她都有一种想要制止他的冲动。但每一次，她都抑制住了自己的冲动，给孩子一个使用手的空间：对于孩子来说，动手的能力是很重要的。基于这种想法，她无意识地保护了丁丁成长的过程。

手是身体功能中最伟大的智慧的工具。

我不知道，是否有妈妈阻止了孩子的这一过程，但我想说的是，这个阻止的过程将会给孩子带来很大的损害。

走

——从最初的要成人拉着手跳，到独立行走，到要上下坡、爬楼梯，到专门爱走不平的地方。

坡上漫游

1岁9个月的淼淼是班上孩子中年龄最小的一个。记得刚入园时，他走路都走不稳，户外活动也不愿离开老师的怀抱。而现在，他天天拿着自己的鞋站在教室门口，想换鞋去户外活动。户外的游乐场内总能找到他的身影。他喜欢变换着地点、方式到处漫游。

今天，淼淼又换了一种方式漫游。看到其他孩子在坡面上玩“红绿灯”游戏，他也加入了。对他来说，上坡比较轻松，下坡则有点儿难度。刚开始他在坡面中段练习下坡，他慢慢地控制身体的动作。渐渐地，他下坡的速度越来越快了，身体控制得越来越好，有时嘴里还一边哼着调调，一边往坡下出溜，还能突然在阻挡他的人前面刹住。就这样上上下下，他练习了30多次。

（王莉）

*孙瑞雪：

上下坡是每个孩子都有的重要的走的敏感期的组成部分，是走的敏感期的典型表现。当幼儿学会上下坡，他就真正地、完全地学会走路了。

淼淼的这个敏感期有点晚了，他在抓紧练习。

走楼梯

2岁7个月的樊真刚来我们班，大概是还没适应一个新环境吧，她显得很胆小。

吃完早餐，我见她站在楼梯边，一直不动地盯着楼梯看。我走到她身边，伸出手，她把手放在我的手心，我们一步步地走下楼去。下楼过程中我告诉她下楼梯的正确方法：手抓住旁边的扶杆，眼看着脚下的台阶，一级一级地走。

来到院子里，樊真松开我的手走向一个有台阶的地方，然后沿着台阶，一级一级往上走。她的动作很缓慢，从9：30到10：30整整一个小时的时间里，她一直在这样走，走累了就坐在楼梯上休息，然后接着走。我发现她此后的每天都重复这一活动。很快，她就能独立在大厅及院子里四处活动了。

（谭雄洁）

*孙瑞雪：

攀爬楼梯的敏感期一般在2岁前出现。这时儿童开始喜欢在楼梯上爬上爬下，先用手判断上下楼梯之间的空间距离，然后试着用脚来判断。因为成人总担心这样危险，并觉得孩子用手摸地不卫生，常常阻止、破坏了这一敏感期的正常发展，对大多数孩子来说，这一敏感期往往滞后到2岁半甚至3岁才出现。

走的敏感期大概从7个月开始出现。起先孩子拒绝坐，不断要妈妈拉着双手跳，一段时间后，他开始走，看上去像是在跑。这可能是父母最累的时候——不会走，但到处走；会走了，就无处不走；上楼梯、下楼梯都要自己来，不管需要多长时间；哪里不平偏要往哪里走……走路的敏感期中，儿童是一个自由、活跃的个体，他对空间的把握能力从此跨出了一大步。

这时，成人应该放弃自己的走路节奏、生活节奏去配合孩子，让孩子在敏感期内得到充分、良好的发展。

当走的能力发展起来时，孩子可能会重新回到妈妈的怀抱寻找慰藉、爱意和温情。他会走了，但他开始说："妈妈，抱抱！"

走：换个角度看世界

记得儿子在八九个月大的时候，总是不停地想站起来，当我把他放在我的腿上时，他就会使劲地蹬他的腿，把我的腿踩得很痛。我当时特别疑惑，他腿上的力气怎么会这么大？等到11个月大时，他渐渐地可以自己蹒跚着行走了，便乐此不疲。这个时候的孩子根本不知道"累"，在他的字典里，仿佛只有一个字，那就是"走"。这让我感到了生命的奇妙。

当儿童把所有的注意力都放在一件事上，并反复地重复这件事时，我们知道，这就是儿童的敏感期。

当走的敏感期出现时，几乎所有的家长都能观察到孩子对走的钟爱。这时，孩子喜欢不停地走，尤其刚刚学会走的孩子，甚至可以走好几里地那么远。但孩子的走和成人的走是完全不同的，成人是为了目的而走，而孩子是为了学习走而走，为了建立自己的存在而走。

孩子一旦学会了自己走路后，他的世界就发生了变化。他的活动不再必须依赖于成人而进行，同时他的活动范围也迅速扩大。此时，当孩子看到一个喜欢的东西，不再需要成人的帮助，而是自己走过去拿。这对孩子来讲，是一个多么大的突破！这意味着生活开始由他自己支配了！

因此，蒙特梭利说，这个时期是孩子的第二次诞生。从孩子出生开始，经历了抬头、坐起、爬的全部过程。在孩子第一次尝试着通过自己的努力，而迈出第一步时，他的身体开始走向独立。而周围的环境也刺激着他、鼓励着他继续前进。尽管此时的孩子内在并没有目标，但是，他的走就是全部目标。慢慢地，孩子开始由一个不能自主的人，成长为一个积极主动的人，而这个发展过程，完全是由他的个人努力完成的。

几乎所有的妈妈在孩子“走的敏感期”出现时都有一个深切的体验：孩子总是充满热情地走着，而我们却疲惫不堪地跟着。在孩子的这个特殊时期，许多成人选择抱着孩子，而不是让孩子按着自己的步伐和节奏去活动、去探索，这就剥夺了孩子通过自己的努力获得成长的机会，也阻止了孩子靠自己的努力走向独立的脚步。

值得注意的是，一旦孩子学会了走路，大约到 2 岁左右时，他就再也不想自己走路，他会想尽一切办法让你抱着他。因为，这时候孩子“走的敏感期”过去了。

（王晓燕）

空间

——喜欢探索空间，最早表现为爬、抓、移动物体等，稍大一点则喜欢爬高、旋转、扔东西等。

策策的故事

儿子 8 个月大的时候终于会爬了！他常常无比兴奋地高昂起那张灿烂的小脸，

使劲到处爬，搞得自己满头大汗。这让我高兴的同时也有一丝担忧：儿子呀，你的能力提高了，危险也就增大了，一定要小心啊！

一天下午，我带儿子到楼下玩。玩了一会儿，只见他冲着石阶外一片茂密的植物迅速爬了过去。已经接近石阶边缘了，他丝毫没减速，这时我突然反应过来——石阶外的地面比石阶矮很多，植物的高度却与石阶相近，儿子不可能知道那是一个大陷阱！说时迟那时快，儿子左手已重重地按到了叶子上，整个人头朝下栽了下去，叶子一阵晃动，儿子不见了，只剩一双粉红色的小脚在石阶边上挂着。我冲到石阶边，手忙脚乱地捉着那双小脚把儿子捞了上来。

宝贝儿子的身体没有受伤，更奇怪的是他居然没哭。我定定地看着他，出乎意料的是，在他眼神里我看到了迷惑，千真万确，是迷惑！

我把他轻轻放下，他又迅速向石阶边爬去，但在离石阶30厘米远的地方停了下来，伏下身子，慢慢爬到边缘，极小心地伸出手去按叶子，又退回来，又向前爬，按了按叶子，然后转身往回爬。

我知道，他什么都明白了……

看着他一左一右扭动的小屁股，我心里无比欣慰。

（策策爸爸）

＊孙瑞雪：

策策的父母在孩子还没出生前，就接受了爱和自由的幼儿教育培训。父母精心准备的结果，就是对孩子的心智成长有了足够的了解，并因此具备了科学的、高水平的爱孩子的能力。这也是我们心目中接纳新生命的理想状态。

因此，策策出生后，他们没有像其他年轻父母一样，因为无知而对新生命有很多疑惑和担忧，他们把全部精力放在了帮助孩子的生命成长上。在这篇文章里，读者能看出，他们清晰地知道策策的认知发展到了哪一步，需要什么样的帮助。

困 难

一天，我带策策到后花园玩。他仔细抠着石板上的一个孔和小石子，我走到不远处的小草坡上等他。玩了一会儿，他果然哼哼唧唧地爬过来找我了。爬到小石路与草地的交界处时，他突然停了下来，然后一左一右来回爬，就是不肯向前。我心里疑惑，他离我只有三四米远，怎么突然不肯向前了呢？他越来越急，最后干脆哭了起来。我走近才发现，原来他面前有几棵杂草，高度刚刚够到他的脸。他就是被这几棵歪歪斜斜的杂草给挡住了。天哪！这个已经能爬小山坡，爬进小河蹚水的20多斤重的“小伙子”，居然被这么几棵杂草挡住了。他隔着草，泪流满面地看着我，要我伸手抱他。我伸出手，轻轻地说：“策策，爬过来。”他见我伸出了手，停止了哭泣，但当看清楚我并不是要抱他时，哭得比刚才更伤心了。我伸直胳膊，手离草只有20厘米，轻声说：“策策，爬过来！”他奋力睁了睁泪眼，哭声变成了号叫，紧接着双眼一闭一头撞了过来，趴在我怀里一顿痛哭！

打那儿以后，策策不仅再也不怕杂草，而且在10个月的时候，就能跨越草地周围35厘米高、35厘米厚的灌木隔离带了。他先是寻找一处看上去不太茂密的地方，用肚子将灌木压住，然后整个身体向下压，爬过去。到目前为止，我还没见过其他同样大的孩子做这个动作。谁能想到，他曾经被几棵歪歪斜斜的小草为难过一次呢。

（策策爸爸）

*孙瑞雪：

因为父母的原因，策策对环境建立了很好的安全感。在8个月时，策策就开始全方位感知空间、探索空间了。

如果一个孩子在几个月时就知道如何战胜阻力、不断探索，你能够想象他的未来是什么样子吗？探索世界是人的自然天性，这一天性能否得到发展取决于是否得到了及时、足够的爱和能够探索的自由。从这个角度来说，很多孩子从出生那天起，就以分钟计算被淘汰出正常孩子的行列了。

爱扔东西的楠楠

1岁5个月的楠楠不久前刚学会走路，他喜欢扶着床边走。看见床上的枕巾，拉下来扔在地上，很满足地看一看，继续走；看见书，把书推到地下；自己的玩具也一件件通通往地上扔。

有时候，楠楠扶着墙走到鞋架旁，把鞋架上的鞋一个个全扒拉到地上。

（王灵雪）

*孙瑞雪：

我们设想，幼儿早期可能以为自己和外界是一体化的，要明白自己和他物是分离的、物与物也是分离的道理，幼儿需要2年至3年的时间。当他能够行走、使用手，移动物体就成为幼儿早期探索世界的集中表现。手的敏感期、走的敏感期、空间的敏感期接踵而至，使孩子开始“征服”他能够涉足的任何地方。

抛撒、搬运和垒高

“哗”的一声，2岁6个月的小宝宝又将豆子撒了一地。这已经是第三次了。我和王老师对视了一下。看来暂时不能指望她归位了，我过去帮她归位。她很快发现老师在不停地将豆子归拢，这个发现让她更起劲地将豆子撒到其他地方。伴随着豆子“啪啪啪”落地的声音，她的脸上透着微微的惊喜。

小宝宝还喜欢将教具搬来搬去，把立体几何组拿到梯道里或者和其他小朋友一起将它们藏到工作毯里。如果圆柱体插座的洞穴里有珠子，不用问，那一定是小宝宝干的。

有一天，小宝宝发现粉红塔与棕色阶梯可联合垒高，她欢呼雀跃地站到了小椅子上，要与那塔状造型试比高。在工作时间里，老师不断发现小宝宝将彩色圆柱体组从她的工作毯上扔到别人的工作毯上，或者把珠子、蚕豆一颗颗地扔在教室的地上。

在餐厅里，常常可以看见小宝宝推着小椅子跑来跑去。

看来小宝宝空间的敏感期到来了。

（吕景玲）

＊孙瑞雪：

儿童通过抛撒、移动物体来探索空间，感知他和物品、和空间之间的关系。把里面的东西取出来，把外面的东西塞进去，是幼儿认知空间的最初过程。

空间、时间的敏感期

文 ◎ 孙瑞雪

空间、时间的敏感期是所有敏感期中最有趣的一个敏感期，因为透过时间和空间，我们一下被界定在一个位置，这个位置在早先还是一个感觉的状态，在其后的发展中，位置就逐渐转换秩序。如果没有对时间和空间的感知，就不会发展出更为抽象的秩序。

所有的孩子出生时从子宫摔落到一个大空间中，首先要体验的必须是空间。他要在空间中体验空间，使用自己的身体体验空间，然后透过超越自己的身体，探索这个物质世界的空间，才能够把自我跟现有的物质世界完好地结合在一起。

同样，儿童从出生开始也必须感觉时间。刚开始——有了需求，哭，马上就要得到，不懂得这是需要时间的。然后，在成长的过程中，急切感逐渐得到一些缓解。想要——得不到，哭声可以不那么急切。再然后，想要——不是什么都可以马上得到，可以稍微缓冲一下。直到5岁儿童才逐渐发现，所有的事情和愿望是要通过时间来完成的……直到孩子在内心不仅感觉而且可以把握时间。不仅做一件事情需要多少时间，而且获得什么样的心理和智力需要多长时间，也开始在孩子的内在建构出来，时间的智能变成了一种高智慧的历史感，世界和自己就被放进历史的长河和宏观的把握之中了。这个过程是依靠孩子在自由的环境中完成的。

所有这些心智都是在具体的生活中，依靠儿童的兴趣完成的，体现在生活的点点滴滴。所以儿童喜欢做什么，就变得很重要。

满满喜欢寻找下水井盖上的洞洞，然后将小东西往洞眼儿塞进去。在墙上发现一个洞眼儿，也会往里面塞东西。塞东西到一个洞洞里成了他乐此不疲的工作。妈妈看他忙乎着，虽然不打断他，却满心疑惑。

我们知道儿童空间敏感期的发展从0岁开始一直持续到6岁，而最早的空间敏感期是这样的：他首先会发现这一物体和那一物体是分离的，所以他喜欢把一些东西从高处拨拉到地上，然后寻找，再拿到高处，拨拉下来。这是儿童最早的对空间的感受。这个感受过去之后，儿童就会发现：一个空间里边的东西能抖出来，外边的东西能塞进去。所以儿童见了洞洞就会把一个东西塞进去。这个活动在儿童1岁左右的时候非常频繁。

紧接着儿童开始不断垒高、推倒，再垒高、推倒，这是最典型的感知空间发展的一种能力，是对空间感受的过程。这个感受是儿童智能发展的关键所在。接着儿童会对一个狭小的空间非常感兴趣，比如钻到大衣柜里、桌子下面玩耍。之后儿童对爬到某个高处开始有兴趣，我们常常看见小朋友反复爬楼梯，实际上，这都是儿童在运用身体对空间把握的一个过程。比如说，儿童不用腿走着下楼梯，会倒着下，原因是儿童对手的把握要超出脚，所以儿童必须对手有把握以后，才有决心和心理能力再使用他的腿，这样结合起来，他才觉得能准确把这个楼梯的过程走下去，这就是身体对空间的探索。这时候的孩子对爬窗台、爬桌子、爬楼梯、爬栏杆都会有巨大的兴趣。

这个阶段过去以后儿童的能力又得到了提升，开始喜欢从高处往下跳跃。这个过程除了儿童在感受空间的大小外，他还在用他的皮肤、他的肌肉、他身体所有的东西来感知这个空间有多大、多高、多远。儿童发现自己从这个高度往下跳的时候，心理已经能够承受了，就会跳下去。儿童透过经验发现对这一空间高度能够把握，能够再一次承受，就会探索更高的空间。所以对空间的把握，完全取决于一个人在心灵上能够承受多大的一个空间的状态，这决定了儿童未来对这个世界的探索能力，为未来发展埋下了非常重要的基础。

空间的敏感期可能给家长造成的危机感比较大。很多妈妈因为害怕，不许孩子趴在桌子上，不许从窗台上往下跳，不许孩子钻到一个小地方……实际上很早的时候国际上就有一个“视崖实验”：儿童在玻璃板上爬行，但凡看到玻璃板下面有一个在视觉上表现出低洼的部分都不会爬过去。这证明儿童对环境的把握是有天然的自卫意识的。我们可以跟在孩子几米以外保护他，而不要没完没了地唠叨，不要设置那么多的限制，不要在孩子刚有点不平衡的时候就把手支上去扶住。妈妈需要有承受危险的心理力量，不要把这种危险“说”给孩子，这会给孩子带来巨大的危机感，破坏儿童自己保护自己的能力，同时也丧失了探索世界的机会。

所以我们要告诉家长的还是那一句话：给孩子爱和自由。所有的孩子在这个年龄段都会有这样的需求。空间敏感期对空间的探索，是儿童一个自我创造的过程、一个突破极限的过程。

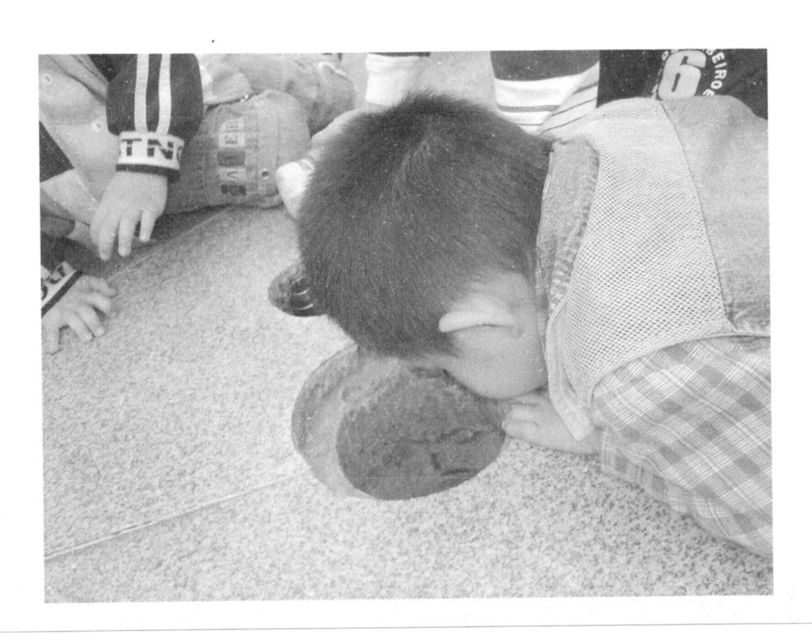

＊ 无论洞在哪里，都会被孩子发现，因为孩子的生命此刻就对洞感兴趣。

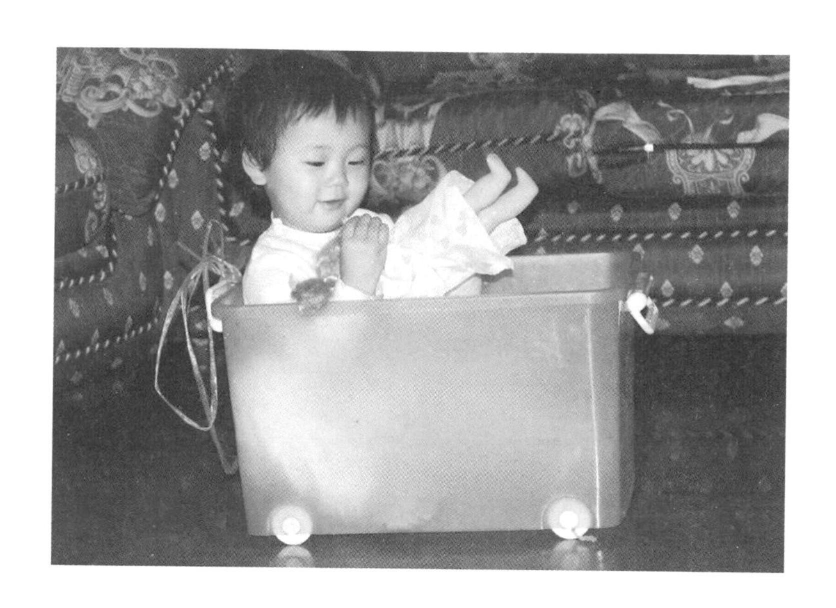

＊ 孩子需要在各种各样的空间中感知不同的空间。上下、里外、空旷与狭小、方圆。只有在小的空间中孩子才有明显的空间感。孩子通过感知不同的空间感进而建立空间的概念。

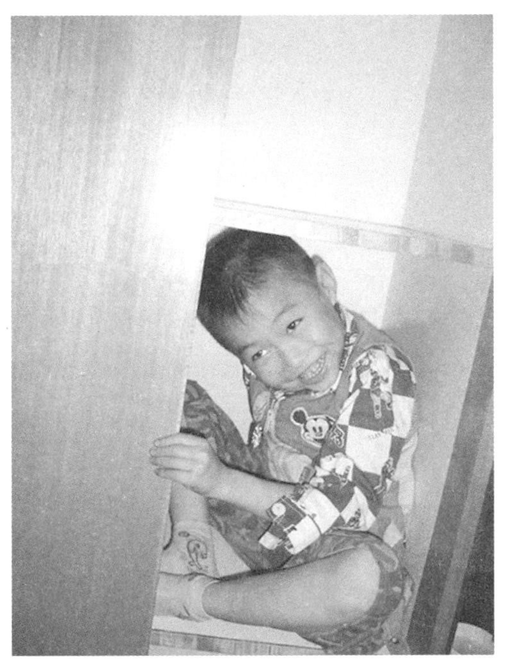

＊感受空间，发展到承受更大的空间，这实际同时也是一个心理承受能力发展的过程。

＊同样是空间，体验的模式是不同的，孩子在静态的空间体验中逐渐走向动态的体验，通过物体的运动探索空间。

FASHION

细小事物

对极小而精致的东西感兴趣。

紧握小木钉

2岁的丁丁有一双黑溜溜的大眼睛。入园的第3天，老师就发现他总喜欢手握一些很小的东西，有小珠子、小笔芯、小线头、小纸片等，并且是牢牢握在手心，生怕别人抢了去似的。

一次工作结束后，丁丁把一个小木钉带出了教室，老师发现后，请他归位，可他紧紧攥着小拳头，无论如何都不肯放手。老师坚持请他归位，他开始使用“对策”，说等奶奶来接他时再归位。老师答应了，他像攥着宝贝一样，一整天都把那个小木钉攥在手里。

还有一次，丁丁丢了一个小零件，着急地四处寻找，最终没找到。这件事让他惦记了一个星期，每天他都在找那个小零件，还反复让老师帮他找。

他妈妈说，他在家也常常握着小玩意儿入睡，并且早晨一睁眼就要看到他的小玩意儿。他还常常为丢失的小东西哭泣。2岁的丁丁对细小事物的敏感期从1岁一直持续到现在。

（闫华）

*孙瑞雪：

一个时期内，幼儿手里总是紧紧攥着一些小东西……把物品贴身放置或攥在手里是儿童的行为方式。这可能给他一种感觉，一种拥有和不让这个东西转移的感觉。

丁丁对细小事物的敏感期滞后了，现在正在弥补，同时，占有的敏感期又在借助对细小事物的敏感期来发展。

非常奇怪，自然总是赐予人弥补的机会，一旦儿童获得了爱和自由，很多恢复机制便自动开启。但6岁过后，这种补偿成长的机遇就越来越小，因为成人无法克服自身的恐惧而限制了儿童的自由，在种种限制中，儿童的吸收性心智随着年龄的增长而逐渐消失。

对细小事物的敏感

刚学会走路时，贝贝对她活动范围内的细小事物极感兴趣。在小区的喷泉周围散步时，贝贝看到地上有很多小彩灯，便蹲在地上用手指按呀按，抠呀抠的。平时走路时看到地上的瓜子壳、小石子、小纸条，都会捡起来研究一番。和她一起讲故事时，大大的画面上她通常会指着角落里不起眼的小花、小草问："这个?"

一次，爸爸把买来的动物挂图挂在墙上，让贝贝认识动物，贝贝指着挂图上的图片一个个地问："这个?"爸爸就一个个地说明解释，还不时地为每一个动物配音，贝贝听了很是兴奋。忽然挂图掉了下来，贝贝走上前指着挂图上方用来固定在墙上的小孔问："这个?"爸爸想着如何用简单的语言解释，贝贝已经趴在挂图上很认真地研究这小孔的作用了，于是认识动物的活动无法继续。

（赵艳红）

*孙瑞雪：

看微小的东西需要专注，需要耐心，需要聚精会神，需要时间。这些甚至比那观察的对象本身还重要。

蒙特梭利说过，儿童在1岁半到2岁时会有一个对细微事物感兴趣的敏感期。细微事物的敏感期使儿童掌握事物的细节，但这不意味着儿童总是这样的，一些成人想当然地认为关注细微事物是儿童所有时期的特征，这是把一种敏感期"泛化"地理解了。儿童的敏感期很多很多，每个敏感期出现的时间都不固定，同一个敏感期中儿童的表现也不尽相同。

细小事物的敏感期

一位家长带着孩子来参观幼儿园。她的孩子1岁2个月，刚刚会走。在参观时，我发现这个小宝宝总是停下来，去看地上的小东西。我走近一看，原来是一颗绿豆。她捡起绿豆，用拇指和食指小心翼翼地把它捏在指尖，还不时地用眼睛搜索着周围的地上，看还有没有绿豆。于是我也蹲下来，帮助孩子寻找。这时，一种感觉油然而生，生活原来可以与自然这样的接近。而儿童的生命就是这么的接近自然。

✻“什么不起眼的小东西都逃不过我的眼睛哟。”

一颗绿豆大小的石头粒，一根细细短短的小线头，一片指甲盖大的小纸屑，丝毫不会引起我们成人的注意，可是它们都是吸引孩子们的好东西。孩子就是在这些东西上，探索和发展着他们的触觉和视觉能力。

1岁到1岁半左右，是儿童能够将手的活动和整个身体的平衡联系起来的时期。在这个时期，腿是儿童的运输工具，把儿童从这里带到那里，而手就用来探索和工作。随着手和身体平衡的发展，儿童的手和腿都开始有力量了，他们的活动开始变得灵活起来。对儿童来讲，观察和抓、捏细小东西本身，就是在发展他们小手的肌肉和手眼协调能力，而这就给以后发展他们的精细动作打下了基础。

皮亚杰认为，儿童首先是通过简单图式发展认知和认识外在世界的。因此，儿童起初对世界的认识一定是从微观开始的，并且外在世界在他们的眼里也是微观的。儿童在能够实现行动上的自我控制后，就开始尝试着用各种各样的方法来增加对环境的认识，在这个认识的过程中，简单图式不断地增加，并且不断地通过调节让本能的感觉活动上升到知觉状态。认知的过程就这样展开了。

另外，在儿童的世界里，探索、观察自然是他生命的一种特殊现象（和成人相比较）。因为这是生命自我创造的过程，所以儿童对整个世界充满着好奇和兴趣，甚至是热爱。世界在他们面前生机勃勃，对他们具有强烈的吸引力。与此同时，在他们的耳朵里、眼睛里、嘴里、鼻子里、手上都蕴藏着巨大的探索的能量。他们必须发展并越过本能感觉的阶段。这正是儿童的生命不同于成人生命的地方。成人用知识和大脑来理解世界，儿童则用自己的经历将环境内化了，这就是创造生命。这与忙碌的、感觉麻木的成人形成了鲜明的对比。

所以蒙特梭利说："儿童对细小事物的观察与热爱，是对已无暇顾及环境的成人的一种弥补。"

（王晓燕）

秩序

——急切需要并保护一个精确且有秩序的环境。

秩　序

萱萱最近有些不一样。

早上到幼儿园，她一定要先去把小熊送到楼上自己的小床上，才肯下来吃早餐。

上午参与主题课，她一定会早早地坐在绿线上，等待老师过来，然后坐在老师旁边。

在手工区工作时，萱萱在工作完了之后，必须把桌上的和地上的"作品"全部放在书包里，放学后带回家。

午休前，她一定要自己选择一套衣服，把上午的衣服换下来。

午休时，她必须盖上有小熊的被子（她有两个被子），并且要自己盖。

午休起床时，无论有多么重要的事，萱萱一定要先穿袜子，再穿裤子，再扎头发。

吃饭时，萱萱一定要自己选择菜，如果未经允许把菜盛进萱萱的餐盘里，她会把饭倒掉，然后再装一份……

原来，萱萱是到了秩序的敏感期，无论做什么事，她都会依据自身内在的秩序来完成，否则，她会哭着说"不"，并且把事情再做一遍！

（邓小彦）

＊孙瑞雪：

萱萱正处在秩序的敏感期。这个时期程序和秩序给儿童以安全感。如果程序和秩序被打乱，会给儿童带来极大的混乱和不适。

对这时的幼儿来说，世界是以不变的程序和秩序而存在的。这种程序和秩序进入幼儿内心，成为幼儿最初的内在逻辑。这就是儿童的思维，有时称“直线式思维”。后来，儿童的这种逻辑在形式上开始改变，不变的逻辑核心被抽象出来，在此基础上，事物的形式可以变化，甚至千变万化。

秩序成习惯，习惯成自然，自然成人格，这一切来自童年。是童年造就了一个人的基本品格和素质。

秩序是文明的基础

文 ◎ 孙瑞雪

为什么幼儿在出生不久就自发地要求秩序呢?

这种需求到底对孩子意味着什么?

这种品质的建立，又对孩子意味着什么?

对人类社会有什么意义?

一个生命的有机体，肯定是有结构和秩序的，这是大自然的定夺，也是一个科学的系统。这种秩序还表现在以系统的存在形式上。就像医学对人体的认识一样，我们有呼吸系统、神经系统、血液系统、泌尿系统……它显得奇妙、有趣和复杂。这些系统既独立工作，又在一个整体的结构中连接、彼此牵制和支持。

上面的这个说法非常重要，你可以假设：人这样一个生命体，以如此的秩序化的结构系统存在着，她所产生的无形的内在的心理活动、认知活动和精神活动又如何不彰显秩序和结构呢?这几乎是不可能的。我们尝试着说，认知是以逻辑的秩序表现的，精神是以法则的秩序表现的，心理是以规律的秩序显现的，统合起来我们说内在的秩序是以智慧表现的。

如果秩序是大自然的定律，那么环境的秩序在教育中的意义就一定是配合孩子，帮助孩子发展内在的秩序，和孩子内在的秩序配对了。

所以，我们把秩序分为内在秩序和外在秩序。

如果儿童的内在一定是秩序的，那就一定需要外在秩序的配对，结果是造就了秩序的人和秩序的环境，然后这个秩序的人又会创造一个秩序的社会。

还有一个秩序蕴涵在生命的后面——成长也一定是秩序的。这个秩序蕴涵在成长的秘密里。我们把这种秩序称为成长的法则，这是其中之一。发现和观察出这一点尤为重要。

假如这些都被尊重了，那我们的孩子将是怎样的呢？

通过观察我们知道，一旦儿童有了良好的秩序感，自我的形成就成为了可能，内在就是和谐的。

有了内在的秩序，人与人之间的关系就变得有界限、承诺、规则、友善，关系就可以持续发展下去，关系也将是和谐的。

环境中的秩序表现在规则中。每个孩子在一个群体中生活，都知道自己的位置，该干什么，并能专注于自己的发展中。这似乎意味着，因为人遵守了内在的秩序，并且在外在也执行了这种秩序，生命的能量就有了目标，孩子们就把注意力集中在自我成长、探索未知的世界之中了。

秩序还是诚信的基础。一个孩子在秩序的环境中长大，会形成程序意识、规则意识、独立意识和契约意识……这样的孩子成人后，就成为一个有秩序的社会人。这个社会人就会遵守秩序并创造秩序……这样，人和社会就都有了安全感，开始信任社会和他人，就有了尊严。长此以往，这种感觉就逐渐成了人的基本品质，人也就会变成一个诚信的人，社会也变成一个诚信的社会。

秩序的破坏会给儿童带来不安全感，思维的混乱、感觉的混乱、情绪的混乱、心理的混乱，儿童不得不把精力转移到对无秩序环境的抗争中，不得不浪费生命成长的时间。在一个混乱的社会里，由于生存的机会不具备公平性，由于无规则和秩序，人的权利在无序中取决于其他……这样就产生了一些适合这样社会的品质，如卑微、讨好、投机、钻营、权力欲、暴力。

有可能我们没有太多的能力把握生命内在的秩序，但我们清晰地知道，秩序的敏感期到来时，我们应保护儿童、理解儿童、尊重儿童、协助儿童，尽可能给儿童提供一个有秩序的外在环境。

区分内在秩序和外在秩序本身并不是秩序中的关键。儿童内在的秩序我们无法改变，它就像生命需要成长一样，是自然法则的一部分。我们可以把握的是环境的秩序性，这是我们确切可以做到的。环境的秩序指的是物质环境的秩序、人文环境的秩序、心理环境的秩序。

外在物质秩序大概容易建立，我们可以为孩子的发展设计一个有序、整洁的物质环境。但人文的、心理的环境取决于人，这就变得复杂和游离起来。

内在秩序和外在秩序之间存在着一种关系，儿童的生命世界和外在的物质世界，在早先是由人来连接的，这就产生了一种关系，这种关系也是人文环境的一部分。人文环境的核心，是儿童生存和成长的心理环境，它必须也是有秩序的。

这是最难以保证的，它取决于成人，成人的一系列状态……为了保证心理环境的秩序，所以就需要建立基本的规则，不是儿童遵守，而是成人尤为要遵守的规则，这样才能把关系中的权威变换成规则。这是一个文明的上升。

规则是每个儿童得到均等发展机会的保证，是儿童全方位发展的保证，还是儿童建构智能、独立平等以及文明品质的保证。所以，秩序必须人人遵守。

一旦成人不能保证这种秩序，它就会被权威代替。在一个权力本位的社会，决定孩子一切的是老师，就如同决定教师一切的是校长，秩序就不是掌握在每个人的手里，不是自发的，而是靠外力强制而产生的纪律，秩序就变成了权力。因为这一点，才使儿童惧怕学校，惧怕成人尤其是老师，也使家长讨好教师，企盼教师对自己的孩子好一些。这种环境造成了一系列心理问题，造成了智能的平庸、人格的卑微、人生的乏味。

这是秩序背后的秘密。

秩序对于成长中的孩子意味深长。

模仿

——最早表现为模仿一个词或一应一答，重复进行，也模仿动作。

学　舌

下班回到家，我问小帅奶奶："妈，小帅（1岁8个月）早晨几点起床的？"小帅这时正在茶几上玩小汽车，他听到后，又开始学着我们说话。

小帅："小帅早晨几点起床的？"

奶奶："好像8点半吧！"

小帅："好像8点半吧！"

我又问："他吃东西了吗？"

小帅："他吃东西了吗？"

奶奶："吃了几块饼干，刚才又吃了一点儿米饭。"

小帅："吃饼干、吃米饭呢！"

我问："韩阳还没有回来吗？"

小帅："韩阳还没有回来吗？"

奶奶："回来了，又下楼买电池去了。"

小帅："回来了，又下楼买电池了。"

我和小帅奶奶再也忍不住了，就"哈哈"地笑起来。小帅也学着我们"哈哈"假笑了几声。但他这时还是在继续玩车。

小帅正处于日常语言建设的敏感期，在这一时期他总是不断地模仿成人在生活中的常用口语，并不断地重复练习这些口语。

（秦莹）

*孙瑞雪：

在日常语言建设的敏感期，儿童模仿口语，练习口语，感觉语言的音韵，并不断重复使用语言，在使用中把语言内化。这是儿童学习语言的方式。家长或老师一定要注意自己的口头语言，要说文明的、规范的、准确的、富有美感的口语。

模仿的敏感期

班上的茵茵到了模仿的敏感期，特别喜欢模仿，而且模仿的相似度很高。

在餐厅里，茵茵和朗朗坐在一起，朗朗做什么动作，她都跟着做。朗朗用舌头舔舔勺子，茵茵也跟着舔舔勺子。朗朗站起来，她也跟着站起来。朗朗坐下，她也马上跟着坐下。

在卧室，茵茵也模仿别的孩子。豆豆用被子盖住头，她也跟着用被子盖住头。豆豆举起手，她也跟着举起手。甜甜说："老师，我要喝水。"茵茵刚喝完水回到床上，但她也马上说："老师，我要喝水。"

在教室里上主题课的时候，羽晗的右腿动了几下，她也马上模仿着动了几下。羽晗看到后笑一下，她也跟着笑了。

茵茵看到什么都会模仿一下，而且模仿得很像，我知道，她在通过模仿来构建自我。

（左海梅）

模仿的敏感期

文 ◎ 孙瑞雪

一位妈妈说：“我儿子现在1岁4个月，非常喜欢去厨房看大人炒菜、蒸饭、烧开水，喜欢自己打开橱柜，拿出勺子、铲子、油桶、酱油瓶、水壶玩耍。我个人认为只要安全，又有大人看着小孩，就尽管让他看，让他玩儿。他玩的过程也是学习的过程。而我婆婆认为要让小孩懂规矩，要让小孩明白这些是厨房用具，不能用来玩儿，认为我太惯着他了。真不知哪种观点是正确的？”

“模仿”这个词，使用在这个1岁4个月的孩子身上是最合适不过的。只是很多老人并不知道“模仿”是0~3岁期间很重要的智力发展过程。

“模仿”是指孩子重复原型所显示的行为，表明儿童的心智已经发展到领悟和掌握某行为背后的能力的时候了。

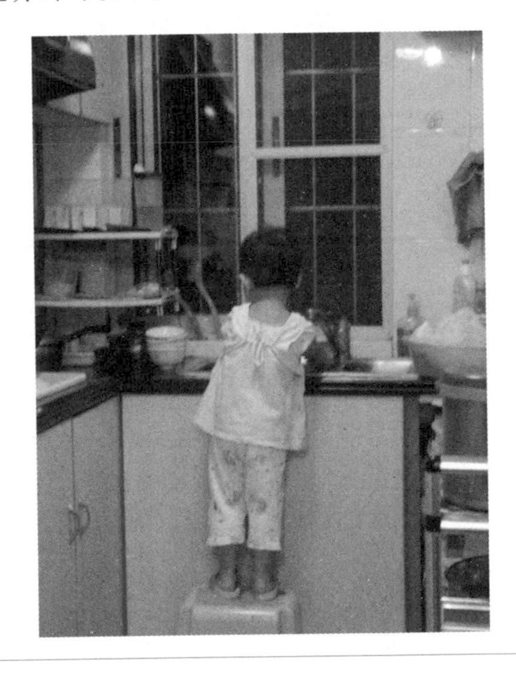

＊2岁的宁宁正在厨房里模仿大人做家务呢。

模仿是儿童对自己身体行为上的一种确认，就好像儿童可以停在某一系列的动作中，然后将此动作重复出来，最终形成自己的能力。由于它是身体的，因此是动作的模仿。这也是刚开始的模式，发展到后来，当然是对更抽象的事物的模仿。比如，语言的模仿、个人气质特质的模仿、风格的模仿……

成人后，模仿也是启动与模仿者心智相接近的某种智能和生命内在的需求，最终超出模仿者，形成自己的特质。但开始无一不是从模仿开始的。这实在是一种了不起的成长模式。就好像一个音乐家在听完一首美妙乐曲时，可以在乐器上重复一样，只是人们不称其为模仿。就如同一个学生喜欢他的老师的一切：行为、气质、语言、思想、思维模式等。事实是，那就是模仿。模仿是成长的一个临界点，模仿存在于人的一生中，一直发展到确定他们所属的范畴，也就是将自己的属性归类，模仿才结束。

对于儿童来说，如果他对某一行为自己无法确定而不能完成时，就不会模仿，而会苦恼和焦虑。或是儿童根本没有发现这个行为的时候，也不能模仿。模仿在2岁左右最明显。

在许多关于儿童的科教片和儿童认知发展的教材中，我们很容易找到这样的例子："婴儿躺在垫子上，父亲的脸对着他，伸出舌头，婴儿也伸出舌头，父亲笑了，婴儿也报之以微笑。"这是婴儿在几个月时，有选择性地模仿。因为这时候，婴儿对自己口的使用是最有能力的。如果做出同样手的动作，儿童的敏感度就不够或者根本不会察觉和模仿。

当孩子成长到2岁时，孩子不但模仿各种行为，而且开始模仿社会性行为，并且可以把行为协调起来，系列模仿。儿童选择性地模仿，基本集中在对父母行为的模仿上。所以父母炒菜，他也炒菜；父母扫地，他也扫地。与此同时，我们会发现孩子还会经常性地重复父母的语言、表情，重复父母的某些特定行为。儿童要通过这一个过程由一个简单的生命状态过渡到一个更高的状态中，也是儿童从内在世界走向外部世界最早期的实践过程，这个过程大约会持续半年的时间。表面上看这一阶段的孩子似乎没有自我，但我们要知道的是，孩子必须通过这一阶段才能形成自我。

如果这个过程没有很好地度过，这一阶段的发展就会滞后，所以我们也常常看到五六岁的孩子模仿老师或一些大孩子的行为。

上面那位妈妈说的模仿行为相对更容易接受。日常生活中还有一些看起来似乎更加无聊的模仿，比如有些孩子模仿摔倒，再摔倒，再摔倒……每一次摔倒都带着巨大的喜悦。父母不明白孩子为什么重复这样毫无意义的举动，就会制止儿童。而这个制止的过程恰恰破坏了儿童敏感期的正常发展，从而妨碍儿童智能和认知的发展。智能发展的阻碍必然会伴随相应的心理问题的出现，这都是成人后大脑平庸的一个早期的现象。

J. 凯根说："对于儿童，模仿可以是一种获得愉快、力量、财富或别的渴望目标的自我意识的尝试。"所以我能给父母的最好的建议就是：一、让孩子去做，模仿没有对与错；二、尽量放慢自己的动作，满足儿童模仿的需要，给孩子成长的空间，使孩子平稳地度过这一时期。

自我意识

——表现为咬人、打人、说"不"等。

自我意识敏感期

八月，2岁2个月。

"早晨好，八月。"看到同事的孩子八月来幼儿园，我友好地打着招呼。"啊——啊！"八月一阵阵地尖叫，并很不耐烦。这令我惊异不已。接着来到办公室签到的老师也愉快地与八月打招呼，八月的反应更为激烈，不停地尖叫，同时使劲地跺着脚，拍打着手，一脸的不耐烦，并且拉着妈妈要离开办公室。在之后的时间里，只要有老师靠近他，想要表示友好，他便会故态复萌——尖叫、跺脚、拍打，他拒绝成人的靠近。

八月要正式入园了。第一天，他的表现出人意料地好，石芳老师顺利地将他从妈妈手中接过来，他竟没有排斥石芳（不似平日来园的表现）。我试着与他打招呼，他又表现出了尖叫的状态，扭头拒绝。其他老师与他打招呼他也会尖叫，他只接受他班里的老师。

我向他妈妈询问原因。妈妈说，在入园的前一天，反复给八月阅读了故事书《入园第一天》，这使八月明白了，上幼儿园后，他将由老师照顾，妈妈去工作。看来这见效了。

之后我在学校里再碰到八月时，我刻意与他保持一段距离，平静又友善地看着他。

效果很好，他没再尖叫，也只是平和地看着我。这样我尝试了几次，发现只要与他保持一定的距离，他就会表现得平和而安静。这样过了两三天，当我再走近他身边时，他不再尖叫了，只是警惕地看着我。因为他发现我并不随意去触碰他。

八月正处在自我意识的敏感期。他会抱着毛巾被说："这是我的。"指着自己的包说："这是我的。"他也拒绝跟别人分享妈妈为他带来的分享物。他对成人未经允许就触摸他也极度愤怒，他以尖叫、跺脚、推拒来捍卫自我，他以这样的方式向成人宣布："我的身体是属于我的！"

蒙特梭利在其《教师守则》中首先提到：未经儿童允许，教师不能触摸儿童。可是成人总是控制不了自己，在向孩子表达情感时忍不住要拥抱、亲吻、触摸儿童，而往往未考虑儿童的自身感受。

（李燕）

＊孙瑞雪：

儿童出生时，他的意识是混沌的，与万物浑然一体的，要从这样一个汪洋大海中脱离出来，是自我分离和发现自我的过程。分离是一个庞大的系统工程，八月的表现是这个系统工程的一个环节（在后面《自我的诞生》一文中会有详细描写）。

审美

——要求食物或用具必须完整。

残缺了的威化

中午加餐时，老师为小朋友分发威化饼干。2 岁半的毛毛看着她盘子里的威化饼突然大哭起来："我不要这个，我不要这个！"老师定神一看，原来那块威化残缺了一角，赶忙给她换了一个完整的，毛毛这才平静下来。

上厕所时，毛毛要求将卫生间冲洗干净，否则坚决不上厕所。食物必须干净完好才愿意享用。

（王晓琴）

＊孙瑞雪：

食品要完整，厕所要干净，苹果要光亮和最大的，衣扣不能掉一个……是每个孩子都要经历的。这个时候，大人容易心烦。完美的东西毕竟不多。如果理解了孩子细腻、追求完美的心，把孩子的要求当做关乎成长、关乎品质形成的一次机会，尽可能用心去体察孩子的每一次不满，我们就能理解孩子，并用适当的方式帮助孩子。

道德是因为审美而建构和形成的。破坏了审美就意味着破坏儿童道德的形成过程。

审美建构道德

文 ◎ 孙瑞雪

孩子2岁的时候，有一天，你将一个苹果切开或者将一块饼掰开给你的孩子时，孩子会突然大哭起来，并且把饼和苹果扔了。究竟发生了什么事情呢？你可能会想：这个孩子太贪婪了！他为什么要那么大一个？那么大他是吃不了的！但是，对一个2岁的孩子来说，他认为一个完整的苹果才叫苹果，一块完整的饼才叫饼。

在幼儿的世界里，孩子在发现着一个巨大的秘密：完整的东西才是完美的。审美，并且是宏观的审美，在这个时候悄悄地走进了人类早期的感觉和思维中。

最早期儿童是通过吃开始的，因为吃维系着孩子的生命，审美也就从吃开始了：苹果是不是光洁？是不是红润？孩子能够迅速从盘中找到最好的那个。假如有一个斑点，那这个苹果就不能走入儿童的世界，也绝不会被儿童吃掉。对于一个儿童来说，吃掉那个苹果等于把那个不完美吃进了身体，这种完美会形成某种心态。薯条自然必须是一整根的，不能断掉。红薯交到孩子手中时，红薯皮自然要完整地包裹在红薯的外面，剥掉了是不完美的，就如同香蕉的皮不能被剥掉给孩子一样……审美的情趣就这样如同食物一般被吃进了儿童的身体，成为他生命的一部分。

但这些要求总被父母误解为生存经验一般的东西。在几个月的时间内，这些行为由于成人的忽略而很快被破坏掉了。

其后，儿童审美的注意力会放在他所使用的事物上：纸不能有豁口，不能折叠；一笔画下去没有遂愿，这张纸自然就不完美了，扔掉。化化丹（儿童的食物）的瓶盖没有了，自然是不可以的，找不到瓶盖那是一件多么痛苦的事情——找到盖子，并且把它盖上，一切变得完美起来！实际上这正是儿童审美敏感期到来的景象。而成人是这么认为的：纸折了一点还是可以再用的；一笔没画好可以重新再起一笔，否则就浪费了；化化丹的盖子找不到可以不找，找那个细小的瓶盖是多么麻烦啊！

正是两个世界的不同，成人没有办法知道儿童究竟需要什么。儿童建构自我的机会就在成人的误解中丧失掉了。

当儿童把高度的审美通过外在事物完善之后，就会回到自己的身上，对自己的身体以及和自己有关的事物产生强烈的兴趣。在我们的幼儿园里常常看到，冬天里女孩子是怎样痴迷地穿着白纱裙，并且感受着白纱裙穿在身上时公主般的感觉，这是对自身审美的需求。我们同样可以看到，一个3岁的孩子，穿着妈妈的高跟鞋，如何艰难地从楼梯上走下来，如何艰难地迈出每一步。高跟鞋在这个孩子脚上穿了3天。第3天后她放弃了，因为她找到了与自己的审美相和谐的东西。我们还可以看到，孩子们是如何把假发别在头上，又如何在装扮的过程中最终学会欣赏自己的头发……这个物化的过程，最终通过一连串的尝试内化为儿童审美和文化的一部分，成为儿童生命的所在——这就是审美敏感期的作用。

今天我们常常看到白色的墙上有着黑色的脚印。跨进楼道，我们看到墙面到处是污垢、痰迹。公共绿地的各个角落里睡满了食品垃圾……我们生活的环境有太多的混乱、肮脏，这些东西实际是我们内在生命的外在展现，是我们破坏了早期儿童敏感期的一种代价！

如果我们保护了儿童审美成长的整个历程，我们就保护了自身的道德。因为道德品质不来自于道德自身，而来自于人类最早期建构的审美。

❀ 分享成长：

——有些文章没有放入某个敏感期，放在这里，以供分享。

沙和孩子们的成长

文 ◎ 孙瑞雪

幼儿园里有四个沙池，每个孩子入园时，无一例外都留恋沙子，这种留恋会持续几个月甚至几年。带着孩子们到湖边、海边、植物园玩耍时，还是沙子抓他们的心。玩沙，玩着玩着，就和水玩到了一起，玩沙总是和玩水连在一起。正如我们所见的，孩子玩沙玩到一定程度，一定会玩水。

小欧来幼儿园的第一天，进了沙池，抓起一把沙，沙粒从他的小手指缝中流出，落在手臂上，再从手臂上落下，这感觉让他惊喜万分。李宗林刚进幼儿园时，好动得不得了，但只要一进沙池，马上就变得宁静下来，能在沙池里玩好几个小时。半年后，李宗林专注的品质形成了。回想十几年的教育生涯，我很难找到一个不爱沙子的孩子。

沙到底给了孩子什么？

有人说，沙发展了孩子的数学心智，我还没有琢磨出其中的道理。我的发现是：儿童对符合自己心智并且变化大的玩具兴趣大……任何一种人为的玩具都无法与大自然的赐予相媲美，沙和水适合所有心智状态的孩子，玩法变化无穷，每个孩子依据自己的心智，进行自己的玩法。这就是大自然赐予孩子最好的礼物。

沙既是固体的，又是流体的，它变化无常又易被掌握，它那无穷尽的形态和用之不尽的玩法，从本质上满足了儿童内心的需求和操作中的创造性。加上水，水可以将沙固化，也可以将沙液化，和沙一结合，就变得奇妙无穷。

大概除了水之外，没有任何一种东西比得上沙的奇妙，也没有任何一种玩具能如此多方面地满足孩子的需要。最后，无一例外，孩子总是将水和沙融为一体，在沙水之间找到新的玩法。

我常常看到，孩子们拿着各种小容器，一趟趟穿梭在班级和院落之间，一次只盛一点点水、一点点沙，几个小时乐此不疲地来来回回，那情景如天国一般。

实际成人也乐意玩沙，在海边，大人踩在沙上，用这样的方法亲近自然，满足人那原始而永不会放弃、也不能放弃的心理需要。

学会表达爱意

（一）

2岁4个月的豆豆刚入园时，用打来表达喜欢。我们不断对他说："你喜欢宝宝，可以用拥抱、抚摸的方式，不要用打的方式，那样她会疼的。"

多次之后，当豆豆想表达自己的喜欢时，会先打一下，然后再拥抱、轻拍。

那天，我们一同到亚运村上戏剧课，回园的路上，孩子们一路玩耍，非常开心。豆豆与桓桓玩起了顶头的游戏，正相持不下时，豆豆突然开始打桓桓，桓桓喊："豆豆，豆豆！"我赶紧过去告诉豆豆："你喜欢桓桓可以抚摸他，轻轻地拍他。"

豆豆马上意识到了，立刻停止了打人的动作，伸出小手，轻轻拍拍桓桓。过了一会儿，桓桓累了，躺在地上，喊着豆豆的名字。我猜想可能是桓桓想享受豆豆的爱，就对豆豆说："你可以过去抚摸桓桓。"豆豆一扭一扭走到桓桓身边，温柔地抚摸着他。

（二）

豆豆生病后，学会了用拥抱的方式表达爱。

那天早晨，吕老师把豆豆带到花园，宝宝和桓桓正在远处玩。宝宝先看到了豆豆，她张开双臂向豆豆跑去，在吕老师的鼓励下，豆豆张开双臂拥抱了宝宝。我说："宝宝爱豆豆，豆豆也爱宝宝。"我也拥抱着他们："老师也爱豆豆、宝宝。"这时桓桓也发现豆豆来了，一路小跑过来，嘴里不清晰地喊着"豆豆、豆豆"，三个小朋友热情地拥抱在一起。

（三）

孩子们在路边玩，各自寻找有趣的东西。宝宝情绪有点不稳定，抱着小狗玩具，不知如何是好。

我说："宝宝，老师抱抱你，好吗？"她不肯。豆豆问："宝宝怎么啦？"我说："宝宝心情不好，你可以安慰一下她吗？"豆豆"嗯"了一声，脸上一副很坚定的表情，上前紧紧拥抱着宝宝，像在给宝宝传达力量。

宝宝嘴角突然上翘，露出了笑容。两个孩子一起高兴地玩了20多分钟。可能玩得太兴奋了，豆豆不小心摔了一跤，哇哇大哭起来。宝宝急忙上前拥抱豆豆，抚摸着他说："豆豆，不要哭了，我爱你。"豆豆慢慢停止了哭声，平静了下来。两个小朋友手拉手一起走了。

（王莉）

*孙瑞雪：

表达喜爱之情，身体语言比用口头语言要真切。这个表达习惯是在幼年和童年时期逐渐形成的。

一次，一个5岁的男孩玩到高兴处，挥手打了身边的伙伴。被打的孩子对我说："院长妈妈，他总打人。"

小男孩不好意思地对我说："院长妈妈，我不想这样，但我真的忍不住。"

另一个男孩说："他就是忍不住！"

我常常发现，成人们表达爱的方式有时候非常奇特，有的是挖苦对方，有的是折磨对方，正面表达似乎反而成了一件难事。

常常有家长对我说："我没法对孩子说'我爱你'。说不出口，总觉得有点肉麻。心里知道就行了。"他们不愿用语言表达爱，奇怪的是，却能毫不犹豫地把抱怨、责备、憎恶的话挂在嘴边。

成人的改变往往是从语言的改变开始起步的。

宝宝学说话

阿萨1岁8个月。一天晚上，家人一起在餐厅吃完饭后，出了餐厅门，没见到爷爷，于是芊芊（姐姐，5岁）大声喊："爷爷——"忽然，又听到一个嫩生生的声音："爷——爷——"

哇，原来是阿萨，这是他第一次叫爷爷。他叫爷爷的时候特别卖力，向前弯着腰，伸着脖子，皱着眉，用力喊："爷——爷——"似乎这是一件要用全身的力气才能完成的工作。

阿萨学说话了，当教他叫"爸爸"的时候，他小心地、轻轻地发出"吧—吧"的声音，后来我们发现不论是教他说什么，当他不熟悉的时候，他都轻轻地、小心地、郑重地，像吐出一个宝贝珍珠似的吐出那一个一个的音，而在我们大人这里，这些字已经被我们用得一点感觉都没有了。但对这个刚学说话的宝宝，这些字却好像无比珍贵、无比神圣，不能够随意地吐出。

教他叫姨，他轻轻地叫"姨——"；叫妈妈是响亮而充满期待的"妈吗"；叫姐姐，虽然发音不准，"姐——及——"但姐姐却是最能听明白的一个。要拿奶瓶吃奶了，阿萨总是认真地滚在自己的小枕头上，远远地伸出一个小手指头，通常是食指，喊着："奶——奶——"

特别好玩的是，会说些字之后，阿萨不再随地尿尿了。想尿尿的时候，伸着两只手，冲向妈妈，嘴里念叨着："浇——浇——"那个意思是，抱起来，把尿尿浇出去。刚开始，我们谁都没听懂，急得阿萨在地上直转圈，后来用手捏住小鸡鸡，对我们说："浇——浇——"妈妈这才猜出来，急忙抱着他去卫生间，小宝宝长长地出了一口气。

2岁左右，阿萨非常喜欢模仿大人的话，尤其是给他读故事书的时候，不论句子多复杂，妈妈讲完一句，阿萨总是很认真地跟着念一句，用他稚嫩的、有些含混的声音，间断地念出长长的句子，一句不落。

就这样，从一个字到两个字，再到三个字以上的句子，阿萨的语言进步飞快。在2岁2个月左右，已经会说"姐姐上幼儿园""爸爸开车上班""坐爸爸车车去海淀公园玩"等复杂句子了，虽然发音还不是那么的准，常要我们猜猜他吐出的一大串发音是什么意思，还好，5岁多的姐姐在这方面很在行，是他的小翻译。

（孙颖　阿萨妈妈）

*孙瑞雪：

语言模仿是儿童模仿的一个重要的内容。最早，是对一个字或一个词的模仿，在某一段时间是对一句话的模仿。其后就是自己对语言的内化和创造了。

酷爱高跟鞋的芊芊

从1岁2个月会走路的时候，芊芊就开始对高跟鞋感兴趣。到2岁多时，更加狂热地热爱高跟鞋。家里妈妈所有的鞋，凡是带一点跟的，都被她找出来，排成一排，每天都要把每一双鞋穿一穿，在家里走来走去。妈妈是不爱穿高跟鞋的，因为芊芊又去买了两双中跟鞋，虽然这还没有达到芊芊的要求（她最喜欢那种又细又高的跟），但已经能让她欢喜了。你常常会很惊奇，那个小小的脚，穿上大大的带跟的鞋，居然也走得有模有样，很少崴脚。

我家附近有一些小店，摆着一些好看的鞋，芊芊几乎每天都要去，试一试那些她看中的鞋。然后对妈妈说，妈妈你以后穿这双鞋。店员小姐都已经认识了这个爱高跟鞋的小宝宝了。

一次我们去旅游，在一个不太大的城市的商场，人不多，芊芊几乎把柜台上所有的鞋都试穿了一遍，大概有一百多双。

2006年夏天，芊芊刚2岁5个月，我们去成都旅游。期间去一个朋友家玩，我那个朋友很爱高跟鞋，选鞋的品位也很好，她的鞋柜里有各种各样的漂亮高跟鞋，产自不同的国家。芊芊一下子就被吸引住了，试穿了各种不同的高跟鞋，最后选中一双黑色带白边的高跟皮鞋，产自意大利，很漂亮的流线型，细细的跟大概有7厘米高。芊芊欣喜极了，将小脚伸进去就再也不肯拿出来了，穿着它走来走去，还上下台阶，居然一次都没崴脚，看她的表情，满足而愉悦。

到了我们该走的时候了，无论怎么劝说她都不肯把鞋放下，朋友很爽快地答应可以把鞋带回酒店。芊芊开心极了！

从朋友家出门，芊芊就穿着这双大大的、带着细细高高跟的皮鞋，走到车上，一直到酒店门口，下了车，依然不肯换自己的鞋。于是我们就跟着这个2岁多的穿着大人的细细高跟鞋的小姑娘，一步一步穿过酒店大堂，在众多惊奇的目光中，上了电梯，走过了过道，到了房间。此时我的朋友的眼睛湿润了，她告诉我她太感动了，芊芊对美的追求是那么的执著。

在房间里，芊芊不论干什么都要穿着她的高跟鞋，一直到睡觉，她把那双鞋好好地收在床旁，然后才上床睡觉。可是，不知睡了多久，她又醒来，有点像梦游似的，拿着湿纸巾把鞋子仔仔细细地擦了一遍，包括鞋底和鞋跟，摆好，才又上床睡了。

我们在四川旅游了10天，那双鞋就一直带着，不论到哪里，只要在旅馆一住下，你就能听到高跟鞋“嗒嗒”的声音，那是芊芊在过道、大堂走路的声音。直到回北京之前，和芊芊好好地商量了一下，她才同意还鞋，最后是她自己把鞋用纸巾擦了，包好，送还给了那个阿姨。

（孙颖　芊芊妈妈）

*孙瑞雪：

孩子的个体差异和男女差别，决定了孩子的部分审美。许多小女孩对服装、服饰有着极高的敏感度，有的孩子对高跟鞋痴迷，有的孩子对服装痴迷，有的孩子对小饰品痴迷……就像男孩喜欢军装，女孩喜欢裙装；男孩喜欢武器，女孩喜欢头饰……这些带有性别特征的审美取向，滋养和柔软着这些孩子，使男孩更加阳刚，女孩更加柔美。如果你仔细观察，就可以发现这些都彰显在孩子的气质中。

第3章

2岁半~3岁

建立概念——儿童开始将自己的认知感觉同语言配对。

自我意识产生——私有意识产生，明确指明“这是我的”。

秩序——需要保护一个精确且有秩序的环境。

建立概念

——儿童开始将自己的认知感觉同语言配对。

汽车概念的建立

乐乐对汽车有一种特殊的爱好。整天手中不离车，口中念着车，眼睛里看到的还是车，真可谓情有独钟。

1 岁前的他只要看到车就会高兴得手舞足蹈，边指边喊："车，车。"

1 岁左右的他热衷于区分"大车""小车""中巴车""公共汽车""货车""越野车""吉普车"等宏观概念。

可是对于 2 岁的他，这些宏观的概念已不能满足他的心智发展了，他需要更准确的概念。他一看见车就会问："妈妈，这是什么轿车?""这是什么越野车?"我常被问得张口结舌，因为我对车一窍不通。为了满足"小车迷"的盘问，我们一同投入到认车的行列，每天必须例行 3 件事：一是"应邀"去家附近的"大酒店"门口花两三个小时将不同的车标进行对号入座；二是问司机；三是陪他看《汽车之友》等有关车的杂志。在他建立车标概念的这段时间里，我发现他每到一辆车跟前，都会绕着车摸车标——从车头，到车轮，到车尾，再到车头，边看边摸，边摸边念叨车标的名称，"奥迪""宝马""丰田""本田"等。连续摸几次转几圈后才肯换另一辆车。经过不到一周时间的"突击"，街上跑的名牌车只要他瞟一眼，几乎没有认不出来的。但他并不满足，只要我们经过大酒店门口，他非下去指认不可，摸摸这个说——桑塔纳，摸摸那个说——四个圈奥迪。本田、丰田、宝马、奔驰、凌志、三菱、林肯、红旗等，他非按停车顺序挨个摸到才肯罢休。

最有意思的是有一天在酒店门口看车，结果碰到一辆我们在任何地方都未见过的车，他一再追问，我们接连问了好几位司机才得知是一辆"道奇"。他如获至宝，边摸边说："这个标志是道奇，原来这个标志是道奇!"他不停地念叨，不停地摸，那痴迷劲儿真让人感动。

2岁左右的孩子对概念特别的感兴趣。只要是他感兴趣的东西，他会不惜一切地反复进行，以满足他的心理渴求。

（党小琴）

自我意识产生

——私有意识产生，明确指明“这是我的”。

我　的

几天前，时代廊桥幼儿园的一个小朋友，在走廊里拉了尼尼。就在老师去给她拿裤子的时候，她把自己的尼尼包了起来，老师回来时发现尼尼不在了，就以为是打扫卫生的阿姨来收拾了。在卫生间里，老师帮她洗屁股，她告诉老师，尼尼已经被她扔了。拉完尼尼后，她再也没有让任何人动过她的书包，包括平时可以动她书包的老师她也不让动。幼儿园的老师都知道她这段时间一直是这样，所以没有太留意。放学回家后，妈妈爸爸打开书包一看，大吃一惊。原来，她把她的尼尼带回了家。在问孩子原因时，孩子的回答更令人惊诧：“这是我的。”

看完这个故事，你一定会被孩子的举动惹得捧腹大笑。尽管这是一个比较特殊的例子，但它却让我们了解了儿童的一个秘密，那就是自我意识的产生。

其实在孩子2岁左右的时候，许多的妈妈都开始注意到，当其他的小朋友来家里玩时，自己的孩子不愿意和别人分享玩具，也不愿意让别人看他们的书，就算是他自己不想玩的、不愿看的也决不让别的孩子动。谁一拿，他立刻就说：“我的。”有的小朋友在户外玩耍时，见到别的小朋友玩东西，就要跑过去不由分说地抢过来，而且振振有词地说：“我的。”然后强行据为己有，妈妈们总是被弄得哭笑不得。

我们在幼儿园也能看到处于这个阶段的孩子，他们上幼儿园时带的所有东西都不许别人动，也不让老师帮助他们提书包或别的东西。有时候书包特别重，有时候还要带被子，孩子就宁愿把东西拖在地上拉着走，也不让老师帮助。必须亲自拿着，因为那是他的。即使是进教室时脱下的鞋子，也要坚决地放在自己的书包里，当然就更不愿意跟别人分享任何东西了。在这个年龄的孩子，什么都是“我的”，拿什么都是“我的”，总之全都是“我的”，好像这时候他们唯一的事情就是看着“我的”所有的东西，除此之外的任何事情都不重要了。

这些时候父母常常感到不解，感到难堪，觉得没法改变和说服孩子，甚至习惯性地把孩子的这些行为解释为自私的表现。如果这种现象再持续下去，家长们就会说，我这孩子怎么越来越自私了，什么都不让别人动，动不动就说“这是我的这是我的”。实际上这个时候的孩子跟自私是毫无关系的，我们一定要区分清楚自我和自私的关系。自私指的是在利益上发生冲突的时候，我们选择了损害他人的利益，而满足自己的利益，这样的情况才叫做自私。那么自我呢？指的是一个人可以按照自己的意愿、情感、心理和意志的需要行使自己的计划、支配自己的行为。

那么，孩子为什么会有这样的表现呢？

儿童在一出生时，他是没有自我的，他和世界是浑然一体的，儿童的成长过程就是一个自我建构的过程。在这个建构的过程中，最初儿童是通过占有属于自我的东西来区分自己和他人的，当儿童占有了自己的东西，当这个东西完全属于他时，儿童才能够感觉到“我”的存在，这也是儿童的自我诞生的标志。

此时的父母们应该满足儿童的这个需求，不要谴责孩子的行为，这样，我们就给了孩子一个良好的成长环境，因为这是儿童建构自我的开端。

（王晓燕）

他打我了

院子里有哭声，我跑出来一看，3 岁的宝宝正哭喊着，旁边的小男孩毫无表情地摆弄着手里的玩具。我问宝宝：“你怎么了？”

“他打我了！”

我问男孩：“你打她了？”

小男孩抬起头，毫无表情地说：“我没打她！”

我又问宝宝：“他说没打你？”

宝宝大哭说：“他打我了！”

小男孩还是面无表情，边玩边平静地说：“我没打她！”

我感到疑惑，想了一会儿，问宝宝：“他怎么打你的？”

宝宝用手一指——平整的水泥地上有一个堆得尖尖的小沙堆。宝宝说：“我让他踩一脚，他不踩。他就这样打我了！”

啊……这原来就叫打?!

该如何处理呢？我看着宝宝的眼睛，对她说：“宝宝，他可以踩，也可以不踩。你不能强迫他。”

宝宝吃惊地看着我，逐渐平静下来，然后转身走了。

小男孩自始至终都很平静，没有辩解。

我们的一位家长曾经骄傲地对老师讲，当他强制孩子时，孩子对他说：“爸爸，我有自由意志，你不能强迫我！”

多年的实践经验，使我越来越坚信：在一个没有权威的环境中生活对孩子们是多么重要！他们学会用自己的眼睛认识生活和真理，寻找幸福和把握自由。

（均瑶）

＊孙瑞雪：

在这里，儿童用“打”这个词表示“他不照我说的做”。儿童2岁时自我开始苏醒，“打”是儿童的心理语言，儿童用打表示“不愿意”“走开”。

儿童的语言和成人的语言有差别。我们一直要求老师和家长倾听孩子，让孩子把所有的纠纷自己说清楚，要求成人用更高的心灵和精神同孩子交流。

自我的诞生

文 ◎ 孙瑞雪

有人说，婴儿出生时同世界是一体的。我观察过许多婴儿，相信这个说法。但是，婴儿长到2岁甚至不到2岁时，就开始发现自己同世界实际是分离的。自我就这样开始悄无声息地萌芽。

因为这一点，幼儿从2岁开始，就惊人地以自我为中心。

0~6岁的儿童（有的孩子一直持续到12岁），几乎将他全部的热情和注意力集中在了自我的建构中。因此，皮亚杰通过观察发现，0~6岁的儿童是以自我为中心的。如果没有这样的激情和全部的投入，婴儿就永远无法形成自我，最后也无法走出自我，成人后就真的以“自我为中心了”，也就丧失了“我”与他人、社会分离的机会和界限。成人世界许许多多的纠葛，就是无界限造成的。

没有自我，就等于混同其他人，并在人群中消失。我们所期望的创造力、幸福感、独立性、意志就无法出现在我们的身上。

让我们看看自我在儿童的成长中，是如何表达的。刚开始，幼儿用打来表达他不同意、不喜欢的态度。这里打的含义是排除、不同意的意思。但这个时期很快过去，接踵而来的是说“不”，什么都是“不”，做与不做的都是“不”。这是意识上的最早分离，通过语言表现。在这样持续的发展和深入的重复中，儿童感受着“我”与他人分离的快乐。

儿童在自然法则的感召下，一刻不停地形成自己。这就告诉我们，儿童必须要走他想走的路。走自己的路就必须先形成自己。已经形成的自我，在以后的几年里会表现得更为充分——从排除他物，到说出“不”，到坚定不移地坚持自己的看法，到在形成自我的过程中，建立和派生出优秀的个人品质、专注和意志。一个人最核心的部分就形成了。

当儿童选择了他要做的事情，他就必然专注。任何一位家长和老师都能发现这一点。成人也如此，人天性喜欢按自己的意志做事。因为能做自己喜欢的事，儿童便不断产生对人和环境的信任和依赖，并因此心满意足，变得安静、专注起来。这种持续性的生活，最后形成儿童的意志，独立也随之而来。独立促使儿童会用自己的眼睛看世界。

实际上，大多数孩子生长到9~12岁时，已经开始思考许多本质的问题。例如：“成人为什么是不可改变的?”“为什么书上说的和现实社会不一样?”“为什么大人对待孩子和农民对待驴一样? 农民打驴是为了让他快走，父母打孩子是为了让他学习，这实际并没有差别。”“难道人活着就不会有别的意义了?”这些都是孩子的原话。

丧失自我的孩子，内心充满了挣扎。成长到12岁时，一个拥有自我的孩子，和一个没有自我的孩子，在处理同一件事情时，人格状态有巨大差异。例如，一个吸毒者引诱一个意志独立而坚定的孩子，说：“吸一口吧！不吸就不是男子汉。你是胆小鬼吗?”这些语言不会使独立的孩子产生犹豫和挣扎，因为他归属于已经形成的自我，他不需要从归属别人那里而寻求安慰，并且他能清晰知道对方的意图。但丧失自我的孩子，因为有人对他说“这样做”“那样做”，他容易在别人的自我中迷失了自己，于是，他可能屈从别人，寻求归属。

没有自我，不能归属于自己，必归属他人。

秩序

——需要并保护一个精确且有秩序的环境。

重新开门

2岁10个月的苗苗入园已经3个月了。自入园以来她情绪一直很稳定，但最近开始，她总因为一些小事儿哭闹不停。她执拗的敏感期提前到来了。

爸爸妈妈开车来接她回家，妈妈抱着苗苗，爸爸顺手将车门打开，苗苗忽然大哭起来："让妈妈开车门。"爸爸赶紧把车门关上，妈妈重新打开了车门，可苗苗就是不上车，在妈妈怀里挣扎着："不要现在打开车门，要妈妈刚才打开车门！"爸爸妈妈无奈地等着，直到她情绪稳定了，才上车回家。

爸爸早晨送苗苗来，我正在为其他孩子脱衣服，她爸爸推开了教室的门，苗苗哭着不进来："要冯老师开门。"爸爸关上门退出去，我在里面重新把门打开。可是已经晚了，苗苗叫嚷着："要刚才冯老师开门！"

（冯轶芳）

＊孙瑞雪：

儿童秩序的敏感期呈现螺旋式上升的三个阶段：第一个阶段，为了秩序的破坏而哭闹，秩序一旦恢复就会安静下来；第二个阶段，为了维护秩序而说"不"，自我意识开始萌芽；第三个阶段，为了维护秩序而执拗，一切要重新来。

孩子执拗的这个阶段可能是老师和父母最为苦恼的时期，因为执拗的要求具有不可逆性，让人感到无奈。但尊重孩子这一生命现象是首要的，所要做的就是：一、成人放慢速度，注意观察和倾听孩子；二、已经发生了，就陪伴孩子，准许孩子把恼怒哭出去，让孩子把情绪哭出去，孩子自己就会接纳已发生的事实。

车走了新路线

3岁的胡杨坐校车回家。一次，司机马师傅送完媛媛后没有像往常一样调车头，而是继续往前开。胡杨突然大哭起来。我惊恐地过去察看，发现她在座位上安然无恙，忙问她怎么了。她边哭边喊："我要回家！我要回家！"

我忙解释："马伯伯是送你回家，马上就该你下车了。"可她还是不断地哭，焦躁不安。

我不明白，又给她解释："老师送你回家，马上就该你下车了。"可她还是哭着说："我不走，我要回家，我要回家。"边说边焦急地指着后面的方向。

我恍然大悟：今天的车没有按原来的路线走。以前送完媛媛，车就调头送胡杨，马师傅今天改走另一条路了。

我忙给胡杨解释："这条路和那条路都可以到你家，马上就到。"可她一直没有停止哭，见到妈妈时还在哭。

从这次以后，每当改变路线时，我会提前告诉孩子，特别要解释给那些处于秩序敏感期的孩子。

（王灵雪）

*孙瑞雪：

秩序感是蒙特梭利揭示出的儿童的重要敏感期之一。现实生活中，成人随意打破儿童的秩序会使儿童经受痛苦，而成人常常不了解这一点。

我们还不知道儿童心里到底有多少秘密，正如蒙特梭利所说，儿童的心灵是一个神秘的深渊，照料他的成人并不了解它。当我们不了解的时候，让我们怀着敬畏之心，给他们爱和自由。

挂毛巾

早晨，我从消毒柜里拿出毛巾，毛巾很烫手，烫得我没法将它们逐个挂在衣钩上，只好先搭在上面，抓紧时间整理教室。

整理完教室，我才想起要把毛巾归位，走进洗手间一看，咦，毛巾已经整整齐齐挂好了。"一定是徐老师挂的。"我没太在意，直接上楼去为孩子们准备早餐。

第二天早晨，我依然把消过毒的毛巾先搭在衣钩上。这时，刚入园不久的3岁的高忱跑进来："老师，我要尿尿！"

"需要我帮助吗？"她没有回答，而是盯着毛巾看，然后烦躁不安地走过去，急不可待地拿起毛巾，把它们一个个挂在衣钩上，边挂边大声嚷嚷："不是这样的，不是这样的嘛！"忙完这一切，她才走进卫生间。

也许昨天的毛巾也是她挂好的？

高忱不但注意毛巾是否摆放整齐，也很留意小朋友的鞋是不是归位了。如果有人把鞋放在门口，她会毫不犹豫地把鞋放在鞋架上，然后再去做其他事情。

（文文）

*孙瑞雪：

儿童从出生几个月一直到6岁，秩序的敏感期是呈螺旋状发展的。儿童需要一个有秩序的环境，按一定的规则和习惯整理环境、把环境秩序化。这说明儿童已有了内在的秩序，这个内在秩序反过来检测环境、修正环境，要求环境符合他的内在秩序。

老师，我要归位

3岁的念念拿着拼图来找老师："老师，这个教具坏了。"

"哦，是坏了，放在这儿吧。"

老师随手把坏了的教具放在桌上。过了一会儿，念念走过来说："老师，我把它（教具）归位吧。"

"放在这儿，待会儿拿去修修吧。"老师说。念念点点头，离开老师，继续去工作。过了一会儿，他又走到老师面前："老师，把教具归位吧。"

"我们不是要拿去修理吗？"老师蹲下来问他。念念低头离开了。过了一会儿，当念念再次站到老师面前时，老师一下子明白了，笑着把教具递到了念念手里，让他去归位。归位后，念念满意地回到自己的工作毯上，抬头对老师笑笑，好像是说："就是这样。"

（陈文慧）

*孙瑞雪：

念念暂时离开了两次，但他的心还在这儿。

3岁的念念正处于体验、建立秩序的敏感期。从选择教具到工作，到归位教具，当这个工作过程被打乱时，孩子会焦虑，直到解决问题，他才会松一口气，投入到下一个工作中。

一个环节都不能错

幼儿园院子里传来孩子的哭声。我立刻跑了出去，看见贝贝正在哭。我问他："怎么了?"他指着旁边的一个小朋友说："他打我。"我正准备给他们解决问题，贝贝却指着他正在流出的鼻涕，示意我给他擦。我马上去给他拿了纸，他却摇着头说："不！不!"我问他："你要怎么样?"他说："我要用我的毛巾擦。"我立刻想到了幼儿园给小朋友配的小毛巾。于是我抱着他上楼到洗手间，准备拿毛巾给他擦，他又说道："不！我要用我的毛巾。"我先是迟疑了一下，然后问他："你的毛巾在哪里?"他把我带到了他的书包前，打开书包侧面的小拉链，先拿出一个空的食品包装袋，然后拿出一小包吃的，最后拿出了自己的小毛巾。但是他并没有马上擦鼻涕，而是先把刚才拿出的东西放回书包里，并且拉上拉链。等他擦鼻涕的时候，动作已经是象征性的了，因为这时鼻涕已经被风吹干了。擦完后，他又拉开拉链，把小毛巾放进去，拉上拉链。

这一系列活动结束后，贝贝伸开双手，让我抱着他去解决问题。他的行为让我忍俊不禁，我不知道还有没有比这个孩子更有秩序的人了。对他来讲，被打了不重要，鼻涕干了也不重要，只有符合秩序的活动才重要。

其实，孩子从出生后的几个月就开始出现对秩序的喜好。在孩子的小脑袋里"秩序"包括：他第一次看到某样东西放在哪里，那么就会一直坚持它所在的位置；每天回家的路线是不能改变的；出门一定要穿衣服、带包……总之，每一件事情都一定要符合秩序的需求，而这样有秩序的环境渐渐地使孩子产生了安全感。孩子通过有秩序的环境来和自己的内部秩序配对。外在的有序可以使孩子形成内在的秩序，即知觉归类。他将所有看到的归为一类，听到的归为一类，摸到的归为一类，闻到的归为一类，尝到的归为一类。当他发展了所有的感官后，就会从对感觉的认识上升到对知觉的认识，这样就形成了智能。这时，孩子对外部世界便有了自己的认识。

当秩序的敏感期到来时，孩子往往表现得非常"固执"，而正是对秩序的追求，使他开始理解这个世界，理解每个位置上的事物，从而达到和环境的融合。

人生之初，让孩子来决定怎样开始吧！因为他们都知道该怎么认识这个复杂而奇妙的世界。

（王晓燕）

❀ 分享成长：

儿童天然要走向独立

文 ◎ 孙瑞雪

很多成人认为，独立性是培养出来的。更有人认为，把孩子在很小年龄全托出去是培养独立的一种方法。

实际上人从出生那天起就开始走向了独立。最早的独立首先是功能上的独立，儿童不断地使用自身的每一个功能，以达到独立——口、手、腿……最后逐渐走向内在的心理、意识……的独立。

婴儿脱离母体就意味着他不再依赖妈妈的身体而存活。

6个月时，婴儿的胃里开始产生消化食物的酶，在独立之路上婴儿又向前迈进了一步，他不再依赖母乳而生存。

1岁时，婴儿开始独立行走。

2岁时，婴儿开始对他人说“不”，在意志上想把自我和他人区分开来。这个“不”是人生中第一个独立宣言。

3~6岁期间，儿童逐渐形成了一个真实的、区别于他人的内在模式和秩序，自我基本成形，在心理、意志、情感、思想上奠定了人格独立的基础。

6~9岁期间，儿童建构了属于自己的有关生活的常识和艺术的品质，建立了属于自己的文化特质，自我的形成加进了人类文化的特质。

9~12岁期间，儿童开始有了有意识地学习心智，他的认知不再受环境的限制，而是能扩展到整个宇宙。此时儿童的道德感开始形成。这个时期是人一生中最重要的第二个时期（第一个最重要的时期是0~3岁），他未来对智性方面的兴趣视这一时期环境提供的机遇而定。这就是为什么小学要给孩子尽可能提供机会，让孩子接触各种学科。我们的小学开设了11门课，除传统课目外，把科学实验课细分为：力学实验、光学实验、电磁学实验、气象学实验、地质学实验、化学实验、工程学实验、天文学实验。把自然学科细分为：天气、夜空、人体、昆虫、有壳生物、哺乳动物、海洋、岩石和矿物、沙漠植物、树、花朵等。音乐课也细分为：乐器、芭蕾、欣赏等。还有社会实践课、讨论课、陶艺课等。有了这样一个宽泛的知识基础，一个人就容易发现自己的兴趣，并决定将来在哪一个领域内进行深度探索。理想就是在这一过程中自然产生的。

12~16岁，青春期到来时，心智开始转向外面的世界，开始对人和事有了兴趣；在学科上也有了倾向性。人的基本的成长形成了。自我形成，人开始有了离开父母、家庭的内在动力，自身的独立从内到外完成了。

18~28岁后，开始为过渡成为社会的人而努力。走向社会的基本的独立形成了。

28~40岁，实现社会价值。

我个人更倾向于人的生命是在40岁成熟。就好比是一个圆，作为社会的价值完成之后，人会回归自我，重新考虑生命的意义和价值。所以，真正走向身心的独立是在40岁。

但所有独立的基础，是儿童的早期独立的雏形，没有它，任何独立都无从谈起。

我是孙悟空

2岁半的胖胖是我们班的新生，他最大的兴趣就是模仿孙悟空。初次见面我就领教了他的这个本事。

“你好，我是你的老师，你可以叫我徐老师。”胖胖睁大眼睛直愣愣地看着我，好像没听懂我的话。不一会儿，他竟然舞动着金箍棒找妖精去了！这可把送他来的“亲友团”急坏了，赶紧把他追回来，重新把我隆重地介绍一遍：“胖胖，她是你的老师，就像唐僧是孙悟空的师父。”胖胖果然一点就通，立刻叫了我一声：“师父！”

新来的孩子第一天情绪都不太稳定。还好，我们这天坐车到火车站上戏剧课。一路的景色让胖胖暂时忘却了离开家人的苦恼，我亲了一下怀里的他：“哈哈，被我亲到了吧！”我以为他会开心地笑，没想到他一语惊人：“妖精才会哈哈地笑，孙悟空是哼哼地笑！”

胖胖每天带着金箍棒来幼儿园。他认定自己就是孙悟空，把打妖除魔视为己任。一天，娄域戴着奥特曼的面具在后院里玩，被胖胖追打得满院跑，说是要打妖怪。平时胖胖的一言一行也都模仿孙悟空，与小朋友发生冲突就说：“看俺老孙怎么收拾你！”回家时则对我说一句：“师父，老孙告辞了！”

为了帮他建立正确的概念，我反复跟他说这个世上没有妖怪，也让班里的每个孩子都告诉他“你是胖胖，不是孙悟空”。刚开始他并没有理会，可大家都这样说的时候，他一下子委屈地哭了。那一刻，我开始怀疑自己这样做是不是正确，我不能肯定他的状态是一种单纯的模仿，还是一种神游。

（徐颖）

*孙瑞雪：

儿童向往神通广大。很多儿童喜欢孙悟空，因为孙悟空神通广大。大多数孩子都曾想象过自己是孙悟空，有些孩子收集孙悟空的书，画孙悟空，反复看电视剧《西游记》。

儿童有“神”的敏感期，崇拜“神”，热切地认识“神”，搜集“神”的故事；想象和实施“神”，进一步夸张和设想“神”，编织“神”的神话；希望“神”在现实中出现，想象自己和“神”在一起，想象或期待自己就是“神”，“神”游天下。模仿“神”的各种特质和细节，搜集“神”的各种内容，一个都不放过，全部研究清楚。刚开始，儿童不能把自己和故事分开时，就会认为自己就是那个“神”。把这个现象称作“神”游最名副其实（此“神”游和蒙特梭利所指的歧变中的“神游”是两个概念）。根据儿童发展是人类发展缩影的理论，我们可以从现存的神话和宗教以及一些供奉神的原始部落印证这一点。

四五岁或者更早一点，儿童就会根据自己的心理状态去崇拜一些偶像。通过观察我发现，那些成长在强权中的儿童崇拜强大的、有暴力倾向的神，这有点像人格替换，借助强大的神去面对强大的父母和老师；那些生长在平和环境中的孩子，会崇拜智慧和美丽的神。

这个年龄段的儿童正处在身份确定的敏感期，他会选定一个偶像并时时模仿——“我是忍者神龟！”“我是超人！”我常常听到这些话。通过吸收偶像的人格特点，儿童建构自己的人格状态，最终形成自我。我们推想胖胖也可能正处在这一时期。

这个敏感期过去后，你再这样叫他，他可能会不高兴，会说：“我就是我。”

我们要和孩子一起度过人类的童话期，帮他走向成人。

老师，我很棒

孩子们都在专心地工作。3岁半的肖肖在探索二项式。他摸索了半天，不知道下一步怎么办，就开始四处张望。

我走到他旁边，坐下来问他："我可以和你一起工作吗?"他脸上是一副无从下手的表情，点点头表示同意了。我对他说："请观察。"然后将二项式的操作过程，以分解、缓慢的动作全部演示了一遍。肖肖的表情依然不自信，悄悄对我说："老师，我不会工作二项式。"我说："老师相信你会做得很好。"

肖肖拿起二项式开始尝试，完整地操作了一遍，操作完毕，依然用一种很不自信的眼神看我。我说："肖肖，非常棒，你还想工作吗?"他愉快地点点头。这一次操作完成后，肖肖的表情显得很有成就感，他指着完整的二项式，自豪地对我说："老师，你看!"我亲吻了一下他的额头："非常棒。"就这样，肖肖重复工作了很多遍，离开教室的时候，他对我说："老师，我很棒吧!"

（朱晓红）

*孙瑞雪：

二项式教具就是把中学里学习的二项式 $(a+b)^2$ 做成直观的形态。这个教具在学前阶段可以当做积木，而且是很好的、很高级的积木。到了中学时期，这个积木的数学意义就会表现出来，那时，工作过这个积木的孩子就会轻松地理解这个公式。

二项式教具是这样的：a 和 b 相加得到一个长度，以这个长度为边长的正方形的面积，就等于一块以 a 为边长的正方形的面积，加上一块以 b 为边长的正方形的面积，再加上两块分别以 a 和 b 为边长的长方形面积。

有了这个思路，孩子们接下去就能容易理解三项式：27 块小立方体的总和。接着再理解多项式。这就是蒙特梭利教具的魔力。

三项式

9：30 左右，主题课结束了。3 岁 7 个月的王诣达径直来到桌边，取了一支笔，选择了三项式教具。以我的经验，他的心智尚未达到工作三项式的程度，但他脸上的表情令我惊讶——一种很深的宁静，仿佛他此刻置身于另一个世界。

15 分钟后，我再次观察他时，发现他已将形态相同、颜色相同的木块垒在一起，进行了分类。在此之前我从未向他展示过三项式的操作步骤。这时，王诣达旁边的李博文过来了，试图参与进来。王诣达用目光寻找到我，平静地说："老师，他打扰我工作了。"我立刻把李博文抱开。王诣达头也不抬，继续工作。

10 分钟后，王诣达的注意力转移到了李博文的二项式上，而此刻李博文在搬运二项式。这时王诣达的表情有点发呆。我试图引导他继续工作，我认为他一旦能分类，下一步就可以进行三项式底层排列。但很快我发现他的目光是游离的，注意力仍在李博文的二项式上。我意识到自己的行为已构成“打扰”，便迅速离开。

（闰华）

＊孙瑞雪：

“三项式”对幼儿来说是比较难的教具，儿童会根据自己的理解去操作它。对儿童来说，最重要的是喜欢工作，在工作中发展他的逻辑思维能力。

你不是好男人

餐厅里，3岁的虎虎把脚放在桌沿上仰天大喊：“烦死了！烦死了！”我走过去问：“虎虎，你怎么了？”“老师，我快烦死了！”“为什么？”“我烦，我就是烦。”虎虎的表情沉重极了。

“能告诉老师你烦什么吗？”蹲在旁边，看着他烦躁的样子，我心里很难受，什么事情能这样折磨孩子？

“我烦我爸。”他看着我说。

“这样好吗？你先吃饭，然后我们谈谈？”虎虎点点头，松了一口气，拿起小勺子吃饭。

吃完饭，我和虎虎单独待在一起聊天。我问道：“你今天不快乐吗？”他点点头：“老师，我爸爸对妈妈不好。”

“为什么？”

“反正不好，他从来不抱我妈妈。”他显得很无奈。

“小虎虎，你可以试着帮帮他们。”

“怎么帮？”他马上转过脸来问。

“我想你可以经常抱抱爸爸，然后建议爸爸学你这样对待妈妈……”虎虎听完，过了好一会儿，点点头。

第二天见到了虎虎妈，和她谈到了小虎虎的烦恼，我才明白问题出在哪儿。前两天，虎虎跟着爸爸妈妈到户外玩，爸爸抱起虎虎，一边亲他一边说：“虎虎真可爱，爸爸爱你。”然后看着妈妈故意说：“我就不喜欢妈妈，她一点儿也不可爱，我就不抱她。”

小虎虎曾经在电视上看过一则广告——“让女人心动的男人才是好男人”。于是他转身说：“爸爸你不是好男人！”爸爸惊奇地问：“为什么？”“因为你不能让我妈妈心动，所以你不是好男人。”

就是爸爸的那番玩笑话使孩子单纯的心灵产生了波动。那天以后，虎虎很痛苦，他担心爸爸不爱妈妈了。

这件事深深触动了我。在孩子面前我们必须对自己所说的话负责，不能乱逗孩子，因为孩子还不明白什么是开玩笑。

（陈文慧）

*孙瑞雪：

孩子的烦恼表现在他的显意识，孩子的压抑表现在他的潜意识。显意识通过话语表达，潜意识则在睡梦中流动。

爸爸对妈妈不好了，妈妈对爸爸不好了，爸爸妈妈吵架了……都会使孩子难过、焦虑。因此，明智的父母不当着孩子的面吵架，夫妻之间的问题可以私下里解决，不让孩子承受成人的烦恼和痛苦。

然而最好的情形是父母相爱。为了孩子，要学会相爱，这样孩子因父母相爱，就知道什么是爱。这是孩子未来婚姻幸福的基础。我们可以为了孩子而相爱。

一位父亲这样说：“我可以为子女做的最伟大的事情就是爱他的母亲。”这种爱给儿童带来安全感、稳定感、美好和神圣。

逗孩子是成人的一个习惯，也是一个问题。有时我们并没有逗孩子，而是说话随意了一些，就能给孩子带来烦恼。对孩子大意不得。说话时，请把小孩子当成和你一样平等的人看待。

请爸爸工作

3岁的贝贝是一个秩序感很好的孩子。某天下午晚些时候，爸爸来接贝贝，可他还想在教室里工作，不想回家，就对爸爸说：“爸爸，你把鞋脱了和我一起工作。”爸爸说：“好吧！”随后脱鞋进了教室。贝贝走到教室门口，看着两只随意摆放的鞋子，对爸爸说：“爸爸，我把你的鞋归位。”说完，把爸爸的鞋归位在鞋架上。进了教室，贝贝又对爸爸说：“爸爸，你先去拿一张工作毯，我们在工作毯上工作。”贝贝的爸爸听话地拿来一张工作毯。贝贝拿来螺母组合，放在爸爸的工作毯上，让爸爸工作。

（金娟）

*孙瑞雪：

孩子不仅会把规则变成秩序固定在自己身上，还会把它变成一种通则。孩子喜欢规则，就会把规则当做礼物送给父母、教师和喜欢的朋友。一个个良好的规则积累起来，最后造就一个文明的成人。

熟悉新环境

我第一天进小爱神班，就见到了不快乐的桐桐。

桐桐的小脸上，长着一双明亮的大眼睛，大大的双眼饱含着与她3岁年龄极不相称的忧郁。

每天早晨，从她妈妈手里接过她时，我都要对她说声："早晨好。"但回答我的，总是桐桐无声的啜泣与满眼的泪水。整个早晨，她的情绪都很低落。

午饭时间大概是桐桐一天中最失落的时刻，一进嘈杂的餐厅，她就大哭着抓住老师，一遍又一遍重复："我不想吃饭！我不想睡觉！"只要你告诉她："老师喂你吃饭，老师抱你睡觉！"她便会安静下来，但依然会无声地流泪。

吃完午饭回到班里，桐桐一步不离老师，一直等到老师把所有的小朋友安顿好，抱着她坐下来，她似乎才真正平静下来，依偎在老师的怀中，听着故事，安然入睡。

桐桐来学校才半个月，还没建立起对环境和老师的安全感，我理解她的泪水与忧郁，我相信，总有一天她会快乐起来的。

日子一天天地过去，桐桐一天天发生着变化。早晨来时她不再哭泣了，午饭开始自己吃了，睡觉也不需要老师抱了，下午上课，她能专注地做手工、画画或是选择教具去工作。

从不快乐到快乐，桐桐只用了短短几个月的时间。

（段武宽）

*孙瑞雪：

新环境是否安全，成人靠经验和理性来判断，儿童却做不到。陌生的环境使儿童焦虑、紧张、恐惧，充满了不安全感。帮助儿童熟悉新环境、消除不稳定的情绪，使他心情好起来，最好的方法就是关注他的情绪，给予他爱和自由。

我们学校每个班，会专门安排一个老师照顾新来的孩子。一个班每周只接收一个孩子（混龄班级，2 岁半 ~5 岁），让孩子把安全感建立和转移到这个老师身上。刚来的孩子都惧怕学校，陌生的环境、陌生的人。大门一关，亲人被关到了外面。孩子尤其惧怕进教室，他担心教室将他关起来回不了家，见不到父母。孩子也惧怕老师（她是陌生人）、惧怕进餐厅吃饭、惧怕上床……相对而言，孩子觉得大街上比较安全。我们派老师陪孩子出去走动，累了再回学校，这样对学校就有了家的感觉。派老师陪孩子接近他恐惧的东西，逐渐消除他的恐惧。这个过程让孩子逐渐感觉老师这个人不错，跟妈妈很像，能够依赖她。这样孩子就开始依赖环境，就逐渐成为环境的主人。最后，孩子进幼儿园如同进了另一个家。

第4章

3岁~4岁

执拗——秩序敏感期后，儿童形成了一种秩序的内在模式，一旦成人破坏了这一秩序，儿童就会哭闹、焦虑，表现出不可逆性。

垒高——喜欢把物体垒高，然后推倒，再重垒，以此建立三维空间的感觉。

色彩——开始对色彩产生感觉和认识，并开始在生活中寻找不同的颜色。

语言——开始对句子表达的意思感兴趣，并重复或模仿他人的话。

诅咒——发现语言是有力量的，而最能表现力量的话语是诅咒。成人反应越强烈，儿童越喜欢说诅咒的话。

追求完美——从审美发展到了对事物完美的追求。每一件事情都不能出差错。

剪、贴、涂——真正开始有意识地使用工具。

藏、占有欲——开始强烈感觉占有、支配自己所属物的快乐。物品的交换从此开始，拉开了人际关系的序幕。

逻辑思维——不断追问“为什么”，打破沙锅问到底。

绘画——儿童与生俱来的表达自我的语言方式。

延续秩序——从具体的生活秩序延伸到了心理秩序。

人际关系——一对一的交换食物和玩具。

执拗

——秩序敏感期后，儿童形成了一种秩序的内在模式，一旦成人破坏了这一秩序，儿童就会哭闹、焦虑，表现出不可逆性。

拿着影碟穿外套

最近桓桓到了执拗的敏感期，听不进任何人劝解。觉得不被人理解时，就痛苦地趴在地上喊叫。

下午阿姨来接桓桓时，他情绪特别兴奋，因为征得了薛老师同意，今天他可以把幼儿园的影碟、自己最喜爱的《狮子王》带回家看了。他爱不释手地拿着影碟，一直不愿放下。

王老师给他穿衣服时，他执意要拿着影碟穿外套。外套袖口窄，影碟穿不过去，王老师说："桓桓，请你把影碟换到另一只手上。"他执意不肯，并因此拒绝穿外套。家里的阿姨有些生气了："你又不乖了，外面很冷，快让老师给你穿上。"

阿姨的烦躁让桓桓变得更加执拗，他眉头一皱，表情痛苦地趴在地上。旁边的王老师百般劝解，他还是不加理会地喊叫。

我走到他身边，轻轻抚摸他的头。他对我大叫："走开！走开！"我轻轻问他："桓桓，你是不是想拿着影碟穿衣服？"他诧异地看着我："嗯！"我又说："老师帮你想个办法，我们把碟放在袖口处，你把胳膊伸进袖口，我保证，当你把手伸出袖口时，肯定会拿到你喜欢的这张影碟。"

桓桓看着我，犹豫着将手臂伸进袖口，手伸出袖口时果真碰到了影碟。这下，他高高兴兴地跟着阿姨回家了。

（吕景玲）

＊孙瑞雪：

桓桓是怎样感觉的呢？那个光碟离开他的手就会消失或者会被别人拿走。

吕老师真有办法，真懂得孩子！

儿童执拗的敏感期，可能来源于秩序感。在建构秩序感这一特殊品质时，儿童的过分需求常常被认为是“任性”和“胡闹”，但我们觉得，用“执拗”这一概念来得更准确一些。儿童在这一时期常常难以变通，有时会到难以理喻的地步。我们并不知道它的真正原因，但我们确切知道，儿童的心理活动一定是有秩序的，当他没有超越这种秩序时，就会严格地执行它。比如看光碟不能被打断；大人不能将衣服搭在臂上；上楼梯时大人不能先上，否则必须退回来；有客人来访，听到门铃声必须是孩子来开门，如果大人开了，他会哭着要求客人出去，重新再开一次；剥糖时孩子要自己剥，如果大人把糖纸撕开，孩子会愤怒地扔掉它，要求重拿一颗……

有一个例子：一个妈妈早晨送孩子来幼儿园，刚走到大门口，妈妈大声打了一个喷嚏，这举动破坏了孩子愉快进入幼儿园的过程，使得孩子愤怒地大哭，坚决不进幼儿园。我问妈妈时，她无助地说：“我打了下喷嚏，他就哭着不进去了。”

很多家长难以理解儿童的执拗。当成人不能保证儿童顺利度过这个阶段时，儿童必定受挫。

解决儿童的执拗问题，一是要理解，二是要变通，三是要成功。

理解不是特别难，但变通需要智慧和技巧。只有变通得好，才能成功解决问题，才有随之而来的快乐。怎样掌握变通的技巧是我们一直研究的课题。

要注意的是，幼儿对秩序的要求起初并未达到执拗的程度，一开始他会不安、哭闹，随着自我的逐渐形成，他将这一秩序上升到意识层面，才开始变得执拗、不妥协。

执拗的敏感期过后，追求完美的敏感期接踵而来。孩子做事情要求完美，端水时洒出一滴就很痛苦；吃的苹果看起来不能有斑点；厕所白色的便盆不能有任何黄渍；衣服不能少扣子等。接着又上升到对规则的要求——我遵守规则你也必须遵守，人人都要遵守；香蕉皮必须扔到垃圾桶里，没有垃圾桶就必须拿着；红灯亮了，即使马路上一辆车、一个人都没有也不能过马路，已经过了必须退回来，退回来也不行，谁叫你这样做了！

对秩序的追求上升到对审美的追求后，儿童就开始能敏锐地感知环境和氛围的变化。

我就要掉在地上的那个

2岁9个月的吉吉，近期频频出现不同的敏感期，经常让教师不知所措。

一天下午吃加餐的时候，吉吉碗里的一小块红薯掉到地上了，吉吉焦虑地让老师帮助捡起来，并且还坚持要吃。新来的老师耐心地反复告诉他：“宝贝，你碗里还有好多，掉地上的不卫生，不能吃了。”但吉吉仍坚持要掉在地上的那片，根本不听，也不看碗里还有的红薯，并且大哭。老师越是耐心地解释，吉吉越是大哭，边哭边说："我要掉的那个，我就要掉在地上的那个。"

新老师无助地看着，不知如何是好。了解了事情的经过之后，我蹲在吉吉旁边说："宝贝，你的红薯掉了，你很难过是吗?"吉吉边哭边点头。"老师知道你现在很难过，你想要掉的红薯是吗?""是的，是的。"吉吉边哭边说。"老师知道吉吉难受。""我难受，我难受。"吉吉的话不再强调红薯。"老师知道吉吉难受。"我反复地与吉吉这样重复对话，焦虑的吉吉逐渐平静下来，哭声小了，仍有些抽泣。抽泣的吉吉开始吃碗里的红薯。

许多时候，对儿童，甚至是成人之间的交流，不需要太多的语言，只要理解便足矣。

（吉野宁）

＊孙瑞雪：

3岁至4岁的幼儿进入执拗的敏感期，有些孩子在未到3岁就提前进入这一敏感期，表现为事事得依他的想法和意图去办，否则情绪就会产生剧烈变化，发脾气，哭，闹。这时家长和老师要给孩子足够的耐心和关照，也要学会一些安抚的技巧。

不！我就不

"不！我就不!"，这是然然近期经常挂在嘴边的一句话。我知道，他进入了执拗的敏感期。

早晨10点左右，然然离开教室时没有穿鞋，当余老师提醒她时，她立刻跑开，一边跑一边喊道："不！我就不!"无论余老师怎么解释，她仍然坚持："不！我就不!"午睡时，然然不停地从自己的床铺上爬上爬下，一会儿站起来观望，一会儿从床上故意扔东西闹着玩。我提醒她："然然，请你安静。""不！我就不!"然然一边说，一边依然我行我素。为了保证她的安全，我将然然从床铺上抱了下来。她大哭起来，嘴里仍不停地哭喊着："不！我就不!"我抱她离开卧室，经过十几分钟的安抚解释，她才稍稍平静。然然的妈妈打电话告诉我，然然最近也在家常发脾气，稍有不顺意的事，立刻哭闹，非常倔犟。家人常对她的一些要求和做法不知所措，十分头疼。

为了让然然顺利、自然地度过这个敏感期，我和她的父母沟通，在这期间我们相互配合，给然然足够的耐心和关注，帮助她更好地度过这个时期。

（文雯）

＊孙瑞雪：

儿童自我意识一旦觉醒，就开始用抗拒和拒绝别人的方式有意识地练习使用自己的意志，喜欢说“不”！处在这个阶段的孩子，面对老师和家长的话，不管喜不喜欢、同不同意，不管做还是不做，都说：“不，我就不！”甚至有的孩子，当老师请他进餐厅吃饭，就一句话，很坚决：“不，我就不！”但当谁都不劝时，自己反倒自动进餐厅，顺利地吃饭。

0~6岁的儿童是以自我为中心的。如果儿童正常发展，他会在7岁后逐渐感知和发现自我中心以外的疆域，为走出自我做好了准备。

垒高

——喜欢把物体垒高，然后推倒，再重垒，以此建立三维空间的感觉。

垒　高

主题课后，亮亮选择了粉红塔的工作。他从小到大一块一块地将它们拿到工作毯上垒起来，嘴里还说：“粉红塔，这是粉红塔。”接着拿着最小的一块去比，说：“爬楼梯。”然后就对着粉红塔观察。站着，蹲下，侧身，他从不同的面观察。

大概5分钟后亮亮把每一块拿下来重新垒，垒成不同形状，然后在旁边观察。这样持续了15分钟，他又去选择了棕色阶梯。先是直接垒起来，观察一番，然后和粉红塔一起垒，直直地垒。等到摆不下的时候，他请老师帮忙，老师抱着他把棕色木块放上去。看到木块垒得高高的，他很高兴，又开始专注地观察。亮亮就这样不断地垒着，观察，又开始新的方法。这过程大概持续了40分钟，工作很专注。

亮亮喜欢把物体垒高，然后推倒，再重垒，观察，他是以此建立三维空间的感觉。粉红塔是建立二维空间的，棕色阶梯是建立三维空间的，他从粉红塔和棕色阶梯的垒高比较中，来建立三维空间的感觉。

（左海梅）

*孙瑞雪：

建立时间和空间的感觉，是孩子出生起就开始的工作。在这个以物质形态存在的世界，事物是以时间和空间来确定位置的。垒高是儿童发现空间的最基本的发现形式，就好像儿童从发现一维空间，然后又发现二维空间，再发现三维空间……或许在未来我们也可能会使用我们身体的某部分进入四维空间。但这种数学心智在儿童期就是借助于这些活动得以成长的。

色彩

——开始对色彩产生感觉和认识，并开始在生活中寻找不同的颜色。

色彩敏感期

妞妞从4岁开始，大约有半年时间，一直对剪纸贴纸乐此不疲。她妈妈为她同时购买了剪贴书和涂色书，她一直不理也不用涂色书，只是专注地剪纸贴纸。一晃三四个月的时间，她剪贴了超过100本剪贴纸的书。

随着她对剪纸贴纸越来越熟练，妞妞对剪贴的需求似乎一天天减少了。就在这个阶段，某天我看到妞妞自己翻出了她曾经不理睬的那些涂色笔和涂色书，在手边放好之后她就面露微笑，拔笔随心开始涂。看到纸上涂出了鲜艳的色彩，她竟高兴得哈哈大笑出声并且大声地说："你看我涂！涂呀，涂呀，把它们全都涂到外面去！"（她说的"外面"是指线条所形成的框框的外面）

妞妞从此开始热衷于涂色，她一直不受涂色书上线条框框的限制，而且非常喜欢尝试新颜色。她对各种颜色都喜欢试着用。过了些日子之后，她似乎表现出对一些明亮色彩的偏好，比如大块的色块，她会更多地采用大红、明黄或天蓝，但总体而言，她还是喜欢尝试各种颜色。常常涂一个小熊或一盆花朵，她就能用上十五六种颜色。十八色笔里，除了白色和黑色，其他的她几乎都喜欢尝试。让人惊喜的是，在她的每个作品中都能感受到那色彩之中有一种难以用言语表达的和谐与灵动，而且经常是非常的富有创意！

在妞妞对涂色最有热情的时候，整个下午她可以喜滋滋地把整本涂色书里自己所喜欢的图案全涂光，后来又发展到喜欢在一张大白纸上放笔畅游。在那些时间里，她涂色或快或慢，脸上往往都带着宁静的微微的笑容，看上去满足而美丽。

妈妈为妞妞购买了一套《幼儿时装设计》，她很快地把兴趣转向了时装设计。妈妈说，现在每天晚上睡觉前，妞妞都要完成至少4个公主或模特的设计，风格不同的一身身衣裳配色或淡雅或浓烈，竟都搭配得非常鲜明、漂亮。

现在妞妞自己每天穿的衣裳都是她自己搭配的，每天换不同的颜色，但很是赏心悦目，每天展现着一个小女孩对色彩的独到把握，对美的表达。

（文雯）

*孙瑞雪：

3~4岁是儿童对色彩的敏感期，儿童喜欢认识色彩。儿童对色彩的认识更多地体现在生活中，他选择玩具的颜色，选择衣服的颜色，等等。小学3年级后，儿童已经将色彩融入了自己的意识中，色彩开始被儿童使用并表现在绘画中。

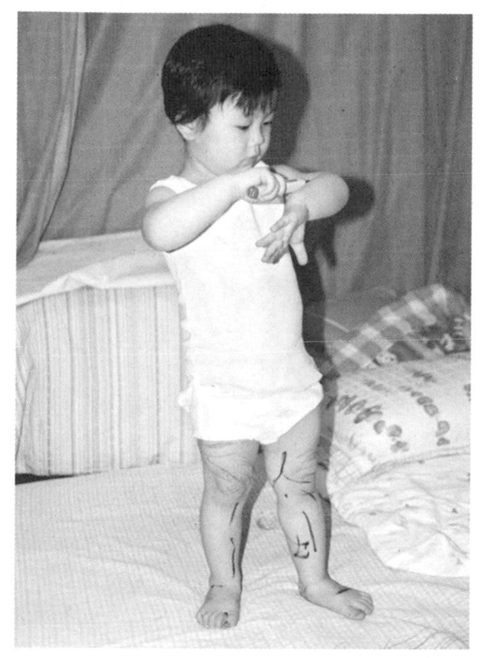

这个时期过后，儿童就进入了涂色的敏感期。儿童涂色的过程为以后的书写做准备。通过最初的乱涂，他的书写才会逐渐趋于规律。

儿童画画和儿童涂色这两个活动是完全不同的。孩子画画，常常使用一个颜色，一支笔。有时候一幅画全部是铅笔画出的，但在最后，孩子会慎重地在这幅画中点一个点，就一个点是带有色彩的，这是儿童对色彩特别的重视。尽管使用不多，但色彩被儿童特别地在意识中拎了出来。

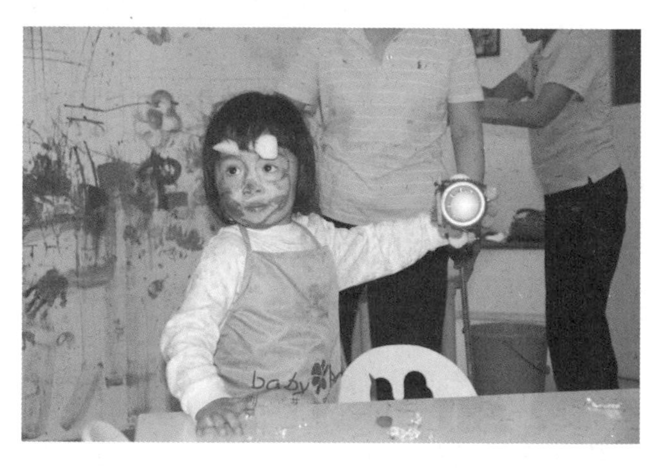

✻ 用身体来感知色彩，也用身体来感知画，手腕上画一个手表，眼睛上画一个眼镜，这会让孩子异常地高兴。

语言

——开始对句子表达的意思感兴趣，并重复或模仿他人的话。

语言模仿

博弈是小精灵班新来的一个男孩，最近他经常模仿其他的孩子说话。

一天，主题活动结束后，小朋友们各自选择了自己喜欢的工作。一会儿，一个小朋友对老师说：“老师，我不想工作了。”正在工作的博弈听到了马上站起来说：“老师，博弈不想工作了。”说完后博弈又坐到地毯上继续工作。

过了不久，Peter 对老师说：“老师，你陪我工作。”博弈听到后马上说：“老师，陪博弈工作。”当老师注视博弈时，发现博弈仍然在继续工作，根本没有要老师陪他工作的意思。

午休时，一个小朋友说：“老师，我要去喝水。”博弈马上说：“老师，我要去喝水。”一个小朋友说：“老师，我要上卫生间。”博弈又马上说：“要去上卫生间。”

但每次说完之后他都不去，自己躺在床上特别安静，只要有小朋友说话，他就马上重复小朋友的话。

这个时期的博弈经常会模仿小朋友的语言，为此老师经常以为他也真的要那么做。

（李小玲）

妙用成语

那天在家，琪琪将一大块肉嚼两下就吞了下去。妈妈看了很是着急。琪琪红着脸含混不清地安慰妈妈说："没关系，妈妈，我囫囵吞枣啦！"

坐校车的时候，琪琪透过车窗看到另一辆车与自己坐的校车平行开着，便大声地对着全车孩子说："快看，我们的车和那辆车并驾齐驱啦！"她的话吸引了全车的孩子齐齐趴在窗户上向外看。

吃加餐的时候，孩子们争抢着要炒面。有的孩子边吃边说："真好吃！真好吃！"琪琪则低着头看着自己的那盘炒面赞叹道："真是美味佳肴呀！"

孩子对生活的表述是如此之妙！3岁8个月的琪琪正处在语言的敏感期，对一些特别的成语和词语总是着急地想知道意思，于是妈妈在家也有意识地教琪琪一些成语，而琪琪总能够很巧妙地将成语运用到实际生活中。

（刘芳）

*孙瑞雪：

科学教育的效果也表现在语言上。家长和教师改变了随意的说话方式，这种改变不仅使语言本身准确和风趣，它还给了孩子一个良好的人文环境。

儿童对词语的使用和解释来自成人，来自同伴，来自生活，尤其来自父母和教师。当父母和教师的语言简明准确时，孩子的语言表达能力一般都不错。

诅咒

——发现语言是有力量的，而最能表现力量的话语是诅咒。成人反应越强烈，儿童越喜欢说诅咒的话。

诅咒的敏感期

康康今年4岁，是一个非常活泼的小男孩。近期他忽然表现得有些“暴力”，具体表现在他的语言上。这段时间以来，经常挂在他嘴边的都是“臭屁”“小屁孩”“臭老师”“屁妈妈”……总之，几句话下来，就把旁人说得失落又伤心。

一天康康刚来到幼儿园就遇到了小鲁，小鲁高兴地跑过来说：“嗨，康康，看！这是我妈妈昨天刚给我买的百变机兽，可厉害了。”小鲁边说边不停摆弄着手里的玩具，急切地想要展示给康康看。看到了小鲁的新玩具，康康高兴地说：“太好了，能借给我玩一会儿吗？”“不行，这是我妈妈给我新买的，不能借给你玩。”小鲁说着继续摆弄着手中的玩具。“那我们能一起玩吗？”康康又说。“不行，我只想自己玩。”小鲁回答。在得到了一系列的拒绝以后，只见康康的表情由最初的喜悦、兴奋变为阴沉，然后把头一扭，显出一副不屑一顾的表情说道：“有什么好看的，一点儿都不好，一点儿都没有真真的老虎百变机兽厉害，都过时了！要是我早就扔掉了，你还玩呢！”最后还大声地对着小鲁补充了一句：“一点儿都不好！”一直站在旁边的小鲁听到这么多打击的语言后，气愤得直跺脚，大喊道：“不许你这么说我的新玩具！”看到小鲁真的生气了，他才说道：“好了，好了，不说就不说，对不起，行了吧，我自己玩去。”说着就蹦跳着离开了。看到了康康不再纠缠自己的新玩具和康康远去的背影，小鲁才放心地把玩自己的新玩具了。

刚过了一会儿的工夫，王龙旭又哭着跑了过来，对我说：“老师，康康伤害了我。”我问道：“你能告诉老师他是怎么伤害你的吗？”龙旭边哭边抹着眼泪抽泣着说：“我刚才正在穿鞋，康康过来就对我说，你是个屁小孩。然后又说要把我爸爸用宇宙飞船带走，再也不让他回来了。我想爸爸。”龙旭说着，又伤心地哭了起来。听到这里，我已经完全明白发生了什么。于是我把王龙旭抱到了怀里，先帮他擦了擦眼泪，然后说：“宝贝，他说这样的话，让你感到担心和难过了是吗？”龙旭使劲地点了点头。我继续说：“这样的事情是不会发生的，康康只是觉得这样说很有意思，会让你感到难受和害怕，才故意这样说的，但是他不会这样做的。放心吧，老师爱你。”听了我的一番话，王龙旭似乎才真的放下心来，擦干眼泪离开了。

（王芸）

语言的敏感期

文◎孙瑞雪

1岁多的儿童，当发现一个词语和一个外物能配上对时，他会重复进行这种配对。

“妈妈!”

“哎!”

“妈妈!”

“哎!”

在这一叫一答中他享受着语言能指称带来的喜悦。

这是儿童语言敏感早期的表现。

随着年龄的增长，儿童很快发现一句话能表达一个意思，这个发现又使他开始重复说一句话。语言的秘密何止于此！很快，儿童又发现语言本身是有力量的，一句话有时候会产生一种强有力的效果，或者像一把剑一样能刺伤别人。诅咒的敏感期来了！

儿童发现了语言的力量，便开始没轻没重、快乐地使用。成人很怕儿童使用诅咒词汇，一听到就反应强烈，视诅咒为洪水猛兽。儿童感受到了这些语词的力量，反而特别关注和喜欢使用这类词。

我们知道，语词的力量被原始人特别看重。原始人相信咒语会变为现实。中外大量的巫术小说和神话传说就来源于此。

儿童可能在重复人类早期的足迹，在基本语言形成后（3岁左右），儿童突然转向使用这类“强有力”的词，而且使用得非常巧妙，常让大人大吃一惊！但是，几个月后，这种语言就悄无声息地过去了。

此后，儿童很快发现语言的魅力还在于同样的词用在不同的地方，感觉是不一样的。这发现使得他开始像一个文学家一样刻意追求、努力寻找一些更美妙的词语，甚至开始纠正大人的语言。

进入小学后，儿童能够用语言为他的动机、他的复杂的心理活动服务，他的语言能力得到了更大的提升。像成人一样，话语越来越成为一种自由的工具。

追求完美

——从要求食物完整发展到了对所使用的用具、事物完美的追求。每一件事情都不能出差错。

我要把它扔到垃圾桶里

毛毛近段时间对什么东西都要求是完整的。如果有一点点残破或者掉了某个零件，毛毛就会把东西扔掉或弄坏。这种行为尤其表现在对他自己很喜欢的东西方面，比如玩具车。

早上，毛毛把自己组装的车拿到幼儿园，特别高兴。走路时一边走一边玩弄自己手上的车。当爸爸与他说再见时，他都没有反应，专注于自己手上的车。进入教室后，梁梓昊发现了毛毛手上的车，很喜欢，对毛毛说："愿意给我玩玩吗?"毛毛摇摇头："不愿意。"这时梁梓昊直接把毛毛的车抢过来拆散了。此时的毛毛看到自己心爱的车被拆散在地，非常愤怒，开始大声哭泣，一边用手试图去把拆散的零件损坏，一边说："我不要了，我要把它扔到垃圾桶里。"当老师制止时，毛毛对老师说："你帮我扔掉吧！我不要了。"一直这样持续了半个多小时。最后梁梓昊按原样把车拼装好归还给毛毛，毛毛平静后才接着拿起来玩。玩了一个上午后，车上的某个零件掉了，毛毛立即将它扔到垃圾桶里。可在下午回家前，他又向老师要自己组装的车。

（李小玲）

*孙瑞雪：

从某个时刻起，儿童突然要圆圆的完整的大饼，整瓶的大瓶饮料，套装的衣服……饼太大，被家长掰开，孩子就会痛苦，难过，甚至哭闹。

追求完美是孩子的天性，当然也是人的天性。它从儿童时期开始出现，保护它就是保护一个追求完美的人。成人不会把有瑕疵的苹果看成不完美的，但是成人依然会对一个接近完美的苹果惊叹，会为一个接近完美的自然对象或艺术作品感怀。完美给人带来精神上的愉悦。儿童追求完美，表明儿童的精神世界开始走向丰富和深入。

追求完美

最近萱萱妈妈特别烦恼，她向我诉说："不知道孩子最近怎么了，睡觉时老是因为被子、衣服、袜子闹不开心，哭闹。”我说：“萱萱妈妈，根据我在幼儿园的观察，萱萱这段时间正处在审美的敏感期，所以会有相应的情况发生……”

事件一：这天午休，萱萱脱完衣服躺下来，没到1分钟，开始哭闹。“你怎么啦？”我问。她的小手不停地挥舞着，大喊：“哎呀，床。”我看了看没有什么，床垫很干净。我用手一摸，发现床上有一些衣服上落下的沙粒，看不清楚，摸起来有一点不舒服。我立刻给她拿出去抖干净，重新铺好。没想到，她刚躺下，一边拍打被子，一边又“哼哼”起来。我猜着问她：“萱萱，你是不是想把被铺好？”她“嗯”了一声，我开始给她铺被，因被子比垫子大，又有小朋友在一边睡，所以没法铺平整，我只好把四边各卷起一些，但她仍不愿意！最终，费了很大劲，我把被子对折盖在她身上，并把上面用手弄平，她这才躺下来入睡。我一看表，时间过去半个小时了。

事件二：“老师，我要上卫生间。”萱萱说。我说：“快去吧。”过了几分钟，萱萱一副非常难受的模样跑回来，看得出是尿憋的。我说：“你怎么还不去呀？”她一边扭动身体一边说：“脏的，脏的。”我立刻过去帮忙冲，但没有屎巵巵，只是有几个小黑点，我说：“是这个黑点吗？”“是。”我立刻冲，她马上蹲下来，终于小便了！

孩子在这个阶段，要求厕所干净，要求物品完美。这时期大人容易心烦，但如果理解孩子细腻、追求完美的心，把这些要求当做关乎成长、品质形成的机会，就会找到适当的方式帮助孩子。

（王莉）

*孙瑞雪：

事物的完美是随着观念的发展而发展的，儿童认为不完美的事和物，在成人那儿可能具有美学特征，比如残缺的美。但对完美事物的感觉，对规范事物的感觉应该留存下来。只有这样，儿童的心中才会有标准，他才会追求事物的完美、和谐、规则，并为此而忘我地工作。每个理想主义者都具备这样的品质，它成就了艺术家、科学家、优秀的教师和各行各业出色的人……

剪、贴、涂

——真正开始有意识地使用工具。

爱剪纸的乐乐

3岁的乐乐到了剪纸的敏感期。每天早晨主题课结束后，她就会冲到美工区开始剪的工作。

记得第一次见乐乐在美工区工作时，她双手握住剪刀来剪。我向她演示完正确的使用方法后，她经过反复尝试，渐渐地可以顺利使用剪刀了。每次她都会选择一盘剪的材料，虽然老师在彩色纸上精心准备了漂亮的图案，但她每次拿到后总是按照自己的想法随意地剪。每天的剪纸工作都能够专注地持续 1 小时之久，每天都会剪出一堆作品，放在自己的作品袋里。作品袋里总是塞得满满的。

连续 2 个月剪的工作后，乐乐在工作时增加了难度，开始不再只限于剪了，经常用胶带或胶水将作品粘在一起，并愉悦地与老师分享。

（唐双环）

＊孙瑞雪：

从 2 岁开始，孩子最常见的活动就是涂和剪。剪，从刚开始手的使用，到手的功能逐渐完善，最后变成了一种艺术的创造。期间需要给孩子准备各种不同难度的剪纸图案。从一道直线开始起步，到波纹线、圆形、方形、多边形……到可以剪各种彩绘和画报上的图片，逐渐可以增加进胶水、彩纸，创造性的活动开始了！这是伴随年龄的增长而不断发展起来的。

✻ 孩子把全身心的注意力高度投注在剪上，他们在使用和发展手的同时，用已经形成的高度专注的品质在剪纸，这种品质将在他们喜欢的自主性的工作中得到更好的巩固和发展。

藏、 占有欲

——开始强烈感觉占有、支配自己所属物的快乐。物品的交换从此开始，拉开了人际关系的序幕。

占有的敏感期

当儿童出现自我意识的敏感期时，会有一些具体的表现，如打人、推人等，同时还会出现占有的敏感期。3 岁 3 个月的强强最近就出现了占有的敏感期。

这些天，强强的书包上总会系着一个塑料袋，强强对这个袋子非常在意，从不让别人轻易动它。强强会把他使用过的纸巾小心翼翼，如同对待一件稀世珍宝似的放入自己的袋子里，然后才会去进行其他的事情。

在餐厅里，如果强强先选择的食物吃不完，他会告诉老师说："老师，这是我选择的，我要把它装进袋子里，拿回家。"强强已经对"你的""我的"有一个非常清晰的概念了。

在院子里，强强最喜欢的一件事情就是捡树上掉下来的叶子。他会告诉老师说："这是我捡到的，我要把它带回家。"强强每天都会把叶子、树枝等带回去。

有一次，班上的老师告诉我，最近强强要把自己的尿带回家里，如果找不到装尿的东西，他还会憋尿。我告诉老师："告诉家长，孩子最近到了占有的敏感期，建议家长给孩子准备一个容器，让孩子可以把自己的尿装上，这样孩子就不会因为不能保有自己的东西而排斥上厕所尿尿了。"家长也非常配合学校，为孩子准备了一个盒子，孩子每次都要把尿尿在盒子里，然后再把盒子带回家里。

有一段时间里，强强要把自己的眼泪也带回家里。有一次，他的眼泪流在老师的衣服上了，非要老师把衣服脱了，后来老师想了一个办法，用纸巾把流在衣服上的眼泪擦了一下，再让孩子把纸巾带回家，孩子才愿意。

类似这样的状况大概持续了两三周后，孩子占有的敏感期过去了。

（梁永玉）

＊孙瑞雪：

自我形成的早期，一定是从占有可触摸的物开始的。这是区分“我的”的自然方式。如何感觉“我”，当然从“我的东西”开始感觉，然后一步步建构从具体的“我的”，到意识的“我的”，到一个完全无形的自我……所以，占有的目的是获得占有物背后的含义，不是占有占有物本身。

就像其后，儿童拥有某一物，是为了获得某物背后的意义。如果获得得太难，儿童就忘记了获得物背后的东西，而把注意力放在了获得物本身上，这就是真正意义上的占有了，占有就成为一种心理障碍了。蒙特梭利将这称为“儿童的歧变”。

逻辑思维

——不断追问“为什么”，打破沙锅问到底。

为什么

“老师，为什么要喝咳嗽糖浆？”子为边喝糖浆边问我。

“因为你咳嗽了，需要一些药来帮助你恢复健康。”

“为什么我咳嗽了？”

“因为你在活动时着凉了，喝水也太少，所以咳嗽。”

“为什么着凉了？”

“因为你活动时太剧烈，所以出了很多汗，又没有及时换衣服，所以着凉了。”

“为什么我要剧烈运动？”

“我想可能是因为你跳蹦蹦床时想跳很高，所以运动比较剧烈。”

“为什么我想跳很高？”

“因为你觉得跳很高，你有成就感。”

子为眨着大眼睛，充满了疑惑。

“什么是成就感?”

……

（王雅静）

＊孙瑞雪：

所有的孩子都有问“为什么”的时期。小孩子问得简单一些，很多大孩子的追问常使成人不知所措。

这些“为什么”经常连续成串。每一个“为什么”引导一种因果关系，成串的“为什么”引导一个因果链条。因果关系是一种逻辑关系，当儿童用语言探索逻辑关系时，就发出了一连串的“为什么”。“为什么”也是孩子语言敏感期的一种表现。在一个个“为什么”面前，父母、教师一定要做正确、简洁的解答。答不出来，如实告诉孩子，并寻找获得正确答案的途径，如查《百科全书》等。这样就给了孩子一个更多选择的途径和出口，对孩子的未来有帮助。

绘画

——儿童与生俱来的表达自我的语言方式。

绘画——螺旋状敏感期

每天到处寻高往下跳的乔，这几天突然不跳了，而是趴在桌上专心致志画起画来，这已是他第三次出现绘画的敏感期。

第一次是在他2岁7个月时，乔握着笔不断地在纸上画圆形曲线，接着便任意在纸上画出直线和曲线组合成的各种图形。我经常会和他一起分享他的画，虽然他尚处在涂鸦期，但我依然会仔细欣赏他的画，并不断发出赞叹声：“哇，妈妈觉得这张像牵牛花。”“这张像狮子。”这样大概画了2个月，他已经能较娴熟地使用笔了。

第二次是在他3岁1个月时，乔坐了一次双层巴士后，每天便疯狂地画公共汽车和双层巴士。持续了1个月后，他不画了，开始不断要求我为他画各式各样的汽车，当我鼓励他参照图片或实物画时，他总说：“妈妈，我不会画。”

第三次，就是现在，3岁7个月。前几天我带他去哥哥家玩，他看见哥哥在地上画房子，便也要求画，从此每天都要求画。起初总是一张张地画各式各样、大大小小、功能齐全的警车，接着开始画其他的，例如：爸爸、妈妈、兔子、电视机、遥控器、手机、杯子等。他不是一边看一边画，而是先认真看然后再画。比如画兔子时，先看看兔子，然后再抓起兔子数数有几条腿，最后才跑到桌旁一气呵成。这次画画与前两次都不同，他不再说："妈妈，我不会画。"而是只要看到想画的物品，便有勇气尝试着去画。我拿来一本仿真汽车的小册子，请他来画。当翻看他画的直升机、起重机、水泥车、消防车、坦克等时，我的眼泪差一点涌了出来，因为从他的画中已能清楚地辨出画的是什么车了！

（王惠伟）

痴迷的绘画敏感期

3岁半的刘一楠入园3个月后就出现了绘画的敏感期。那段时间，她每天来幼儿园后不接触任何教具，只用随身带的画笔画画。她没有什么绘画基础，常常要求老师帮她画。午睡时，她总是趴在床上，伸出右手食指反复描摹地面瓷砖上的花纹。2个月的时间里，每天中午她都会重复这个动作，每次大约持续40分钟。

刘一楠的画大部分都画在小纸片上，图案也画得很小。渐渐地，她的绘画内容也固定下来：反复画小鸟。刚开始时画面凌乱模糊，看不出什么。后来的几个月，她自己画出了一些以圆形组成的小鸟，非常可爱。画画时也很少找老师帮助了。除了固定的作息时间外，她在幼儿园的大部分时间都在画画。

自从喜欢上画画以后，刘一楠整天都沉浸在自己的绘画世界中，非常安静，像变了一个人。家长说她在家也这样画个不停。有一天，我帮她整理书包，看到一本童话书，扉页空白处有一群排成队列、飞向空中的小鸟，形态由大到小，颜色由深绿到浅绿，个个憨态可掬，与扉页搭配得非常和谐，我以为是印上去的。当我发现这是刘一楠的作品时真是惊喜万分，不由得赞叹起来。刘一楠以前很喜欢别人夸奖，但那天她表现得很平静。我想，她一定是在绘画中发展了自我，满足了自我。

还有一个小朋友吕楠，各方面能力都很强，能影响其他小朋友。当她处于绘画敏感期时，一天到晚带着纸笔，走到哪儿画到哪儿。教室里，走廊里，有时就干脆趴在地上画，始终保持着亢奋的创作状态。她的床紧挨着墙，午睡时我稍不注意，她就"嗖"地跳起来站在床上，捏着一根短短的铅笔头飞快地在墙上画出一幅画。这一切仿佛是在一分钟内完成的。让我惊讶的不仅是她的行为，还有她的作品：墙面上出现了一个乘着降落伞从天而降的小女孩，两条辫子向上飞舞着，狂喜的笑容，精灵般的眼睛，非常生动！这种造型成人根本无法想象！在我眼里，她就是个天才！午睡时我也就不管这个天才，让她去教室画画。

在吕楠的影响下，其他好多小朋友也一天到晚带着纸笔，随时跟她趴在地上画画。当时宁夏蒙特梭利国际学校大组的孩子们上美术课时都特别投入，我觉得与吕楠的影响有关。

3 岁 9 个月的彭怡慧当时也开始出现了绘画敏感期。她给自己起了个名字叫“小狐狸”，她画的内容也全都是狐狸。有一次，彭怡慧在走廊墙面上画了一只很大的狐狸，狐狸斜睨着眼睛，竖着大尾巴，憨态中透着机警。在绘画敏感期中，彭怡慧也和吕楠一样不接触任何教具，在幼儿园整天就是画画。家长说，她们在家里除了看电视也是画画。

家长还反映，在那段绘画敏感期中，彭怡慧原本有些急躁的性格逐渐变得安静了，顺从了。家长甚至担心这个孩子变得过于安静了。

（马钟玉）

*孙瑞雪：

敏感期中的幼儿往往对敏感对象表现出痴迷的热情。幼儿绘画敏感期到来时正是如此。这个敏感期大约在 4～5 岁之间到来，但也有例外。整个敏感期持续 1 个月到 1 年的时间。

幼儿从 2 岁开始画线状团，3 岁左右开始有了运笔意识，画的形状成了不规则的梨形、圆形以及其他的简单形状。这个时期过后，儿童会不断要求大人重新来画，他开始意识到自己能力有限。经过一段时间的观察，儿童又重新开始自己画。此时儿童基本从宏观的角度来观察事物，能画出一个事物的基本轮廓，画人能画出头部、四肢和躯干，但没有多少细节内容。接着，他开始把握细节，对微妙的神态也有了感觉，他们的画也变得生动奇妙。

满足儿童敏感期的需求将使儿童表现出：1. 天才的创作智慧；2. 无与伦比的热情、兴趣和意志力；3. 迅速发展的认知能力和技能；4. 得到满足之后人格状态的宁静、和谐和顺从；5. 建构了巨大的潜力。

痴迷、热忱的状态，使儿童达到一种出神入化的境界，使儿童深入事物的本质，掌握事物，最终改造和创造事物。它又能净化儿童的心灵，让儿童发现非凡的美。

天才的画笔

“天才的画笔”本是世人对凡·高的爱称。我也很爱凡·高，不仅仅是因为他的作品，更多的是他的生活态度和对生命的那种无与伦比的感觉和执著。

作为一名从事“爱和自由”教育多年的美术教师，我总是被家长问及这样一些问题：“我的孩子没有绘画天分，如何帮助他（她）？”“我的孩子最近对绘画很感兴趣，如何培养他（她）？”“如何教孩子画画？”“我们不懂绘画怎么帮助他（她）？”

多年的观察和体验，让我从孩子的身上逐渐看到了人类认识世界的方法和历史；从孩子用绘画表达自己的过程中，我看到了一批真正的艺术家的成长和崛起。我不得不说儿童的画笔就是天才的画笔！

绘画品质与生俱来。每位儿童都是艺术家，他们用绘画的方式展现着与众不同的生命感觉。随着孩子一天天长大，伴随他们成长的画笔不仅带给孩子们喜悦，也不断地为家长们传递着一个信息：关注孩子的艺术天性。

绘画是人类表达自我的一种语言形式。这种形式在儿童的身上表现得更为突出和具体。孩子通过绘画的语言描述着他们对这个世界的认识和真实的感受。

儿童绘画的品质大概从2岁多就开始了，但这个时期绘画的表现还是符号系统。我们看到所有儿童的早期作品都是一些简单抽象的符号，几乎看不到也看不懂是什么内容，于是在成人的眼里这不是绘画，他们甚至认为儿童根本不懂绘画。其实不然，在这个年龄阶段儿童绘画的特质就是这样的：一条不规则的线段，横握画笔在画面上绕来绕去留下的麻线团，甚至一个点，都表露着他们最初的认识和原始的记忆。我们把这个阶段称为“儿童时期的符号系统”。这个阶段要伴随儿童很长时间。

随着儿童的成长，他们逐渐有了表现生活的愿望和需求，所以在这个时候他们把生活与绘画紧密地联系在一起。从此，儿童进入了绘画的另一个时期：回归生活，回归自然。他们开始注意生活中自己感兴趣的事物，他们喜欢逛动物园，喜欢看动画片，喜欢听成人为他们读童话故事……他们进入了一个有形的空间并开始尝试着用绘画的方式表现这些他们喜欢的事物，于是早期的造型就从这里开始了。他们总是用最简单的绘画语言表现事物，所以儿童在这个时期的作品都有一个雏形，如圆形、方形、稻草人……儿童会高兴地拿着自己的作品和大家分享并把它们收藏起来，从中获取一种莫大的成就感。这个阶段的儿童观察和表现的对象永远是整体的、宏观的，因为他们对细节不感兴趣。而只有成人才会无知地去教儿童和要求儿童，这时儿童便放下了画笔让成人来画。接着，不满、情绪、要求，甚至放弃便开始了。

经历了这个阶段，大概在4岁半的时候，儿童的绘画有了一个新的提升。他们不再满足于对事物轮廓的宏观表现，而开始关注事物的细节，画面往更细微的方向发展。他们加大了自己的观察力度，尽力去表现观察到的每一个细节，这时的作品已经能够看到具体的内容了，如人的脸上有了两只眼睛、一个鼻子和一张嘴，自行车有了两个轮子、一个车把、一个座，甚至能够展现出人物的表情和急速行驶的自行车轮胎。家长们通常会对此欣喜不已。这时的儿童对绘画非常认真，但有时也会对自己的作品不满意，于是他们想到了请老师、妈妈、爸爸帮助……所以又出现了不满和放弃！因为成人画的不是他们想要的，怎么画都达不到他们的要求。孩子说："不是这样的……"孩子哭了。这时成人不知所措，对孩子最好的解释就是"我画不好，我不会画"。

6岁以后，儿童在对造型的兴趣不断上升的同时，也开始通过绘画的方式表达自己对生活、对自然、对周围发生的事情的真实的感受和心灵的感觉。这时他们的作品不再像以前那样简单，绘画的语言、手法也逐渐丰富起来了。儿童对细节的兴趣更大了，他们很愿意把很多细节画得一丝不苟，同时作品中开始不断地流露自我的情感和人生的态度。

……

在讲座中，我经常提到凡·高——这个生前只卖出唯一一张画、终生靠弟弟提供的面包维持生活、去世后其画作却价值连城的"疯子"。他的一生可谓命运多舛，先后被亲人、爱人、社会甚至自己追随的信仰无情地抛弃，直至最后被送进精神病院，开枪自杀。短暂的37岁，别人无法理解，但似乎又非常清晰的他，在不断的生命失衡的状态下最终选择了用绘画平衡生命，用绘画诠释生命，用生命绘画……在他去世后，爱他的人们称他为"天才的画笔"，而在现在的我看来，天才的画笔正是儿童的画笔。

（安长喜）

※ 杨所，4 岁 3 个月。

延续秩序

——从具体的生活秩序延伸到了心理秩序。

别人的东西不能拿

文 ◎ 孙瑞雪

我听到哭声跑过去时，4 岁的齐齐正焦虑地大哭着。她身边站着一个比她小的女孩（3岁左右）。小女孩面无表情地在玩一样东西。我判断这个孩子拿了齐齐的东西，齐齐要不回来。我问那个孩子："你拿的是齐齐的东西吗？"这个女孩回答："不是。"我问齐齐："这是你的东西吗？"齐齐哭着说："不是！"我奇怪地看着齐齐，齐齐哽咽着说："这是别人的东西，不是她的。"

噢——我以为我明白了："齐齐，她自己会处理的，别人也会要回来的。"本来齐齐已经控制住了哭声，听了我的解释，她突然又愤怒地大哭起来："不！别人的东西不能拿！别人的东西不能拿！"那个小女孩依然懵懵懂懂地玩着别人的小东西。

我明白了齐齐的意思。她认为"别人的东西不能拿"这个原则每人都应遵守。这个规则已经在齐齐身上内化了。我突然感到羞愧，认真地对她说："是的，别人的东西不能拿！"

齐齐停止了哭泣。她明白我理解了她，带着哭腔"啊"了一声，等待着我。我说："你可以带她去找那位小朋友，把东西还给她。"齐齐凝神点点头，拉着那个孩子走了。

几分钟后，3个孩子手拉手微笑着站在我面前，原来那东西是颖颖的。颖颖举起手中的东西向我示意，齐齐笑着用手拉了一下旁边那个小女孩。小女孩斜着身子，身体的重心聚集在拉齐齐的那只手上，抬起一条腿往后一踢，边踢边笑着说："别人的东西不可以拿！"

齐齐微笑着，脸上还挂着刚才的泪痕。

儿童和成人不同。成人大都有这种心理：别人的闲事不要管。而孩子天生就有内在的秩序感，他喜欢遵守规则。只有儿童和一些保持了这份美德的成人，才会把规则融入生命。这是文明社会的基础，也是成人后延续出的道德品质。它最终关系到儿童长大后的道德、文明素质、智能状态以及安全感。

儿童出生几个月后就有秩序，他会因为坚持秩序达到执拗的地步。一旦儿童建构了良好的秩序，就会自主地维护它。这似乎意味着，因为遵守了内在的秩序，对环境的秩序就变得确定和明晰起来。就有了心智的秩序，使得儿童信任环境，维护环境，相信自己能和环境交流。

如果儿童的内在秩序以及外在环境的秩序被权威替代，那么决定孩子内心的就是成人或是老师，儿童就会怕学校、怕老师。这种无秩序的环境使儿童丧失了安全感，最终，这种环境会培养和滋生出懂得丛林规则的孩子，人格就会沦落。

给儿童提供一个有秩序的环境，保证儿童得到均等发展的机会，受到平等的对待。在自然、放松的状态下，儿童就容易发现生活的法则和宇宙的秘密，在行为中形成自律。

一旦度过这个阶段，他们就会对社会秩序高度敏感。仔细观察成人世界，我们坚信，保证幼儿园、小学教育的科学性，这是我们民族素质的基本保证。

人际关系

—— 一对一的交换食物和玩具。

交 换

从2岁七八个月开始，乐乐疯狂地交换物品，只要是他喜欢的或想交换的，都会乐此不疲地交换。

一段时间里，乐乐每天都要背上一书包的汽车模型玩具和食物，无论是大是小，是好是坏，是便宜还是昂贵，他全然不顾，只要塞满就行。

直到有一天，我看见他手里拿着一张纸，上面有我看不懂的儿童画，我随口问："乐乐，哪儿来的纸？"乐乐高兴地回答："我用我的车交换的。"我惊讶地"啊"了一声，但看到他那高兴劲儿，没说什么。谁让车是他自己的呢，那交换也是他的自由。

"妈妈，妈妈，看，这是我交换来的大大卷！"只见他手里拿着一个大大卷盒子向我跑来，兴奋地边跑边喊："看，还能这样切呢！"边说边快速地打开盒子（我一看，盒子里剩下两个大大卷蜷缩在那里），认真地切起来。由于手的力量不够，乐乐费了好大劲才切下一小点，他如获至宝，举起来说："看，这样就切下来了，我分享给你。"然后递进我嘴里说："好吃吧！"为了不打击他的热情，我笑着点头回应："好吃。"他高兴地跳了起来，那种满足劲儿就别提了。我问："乐乐，你用什么交换的？"他自豪地回答："就用那个奥迪遥控车呗！"我的天哪，一辆遥控车交换了那么一点大大卷还兴奋成这样，孩子真不可思议！等到下午回家时，我看他什么也没带，就问："你的大大卷呢？""送霄霄了。"他不以为然地回答。

更有趣的是，自己的车跟别人交换来交换去又重新回到自己的手里，他也一样兴奋和满足。一天下班后准备回家，我发现乐乐、霄霄、晨晨他们正在商量交换车。晨晨说："我跟你交换好不好？你看，我这个还有灯呢。"乐乐一听，说："好吧。"他们顺利地完成了"交易"，两个孩子都兴奋不已。在路上我问乐乐："你的车怎么在晨晨手里呢?”乐乐说:“我送给昊昊了，他又跟阳阳交换了，阳阳又跟晨晨交换了。”“你又交换回来了?”“嗯!”他干脆地回答。

就这样，乐乐频繁地交换物品。说是交换，其实也谈不上，因为在成人看来，他很少能带像样的东西回家，天天书包里不是空空的，就是一些不值钱的东西，比如纸、破玩具等。我问他:“你的东西呢?”他回答交换了，交换来的东西不是说分享着吃了就是送人了。两三个月下来，被别人誉为“汽车大世界”的家里只剩下为数不多的几辆破车了。

幸亏我受“爱和自由”教育熏陶了五六年，要不非晕倒不可。说实话，刚开始我也用成人的价值观来衡量过，但又不敢干涉，用孙老师的话说就是“那样会制造次品”，最后只能心疼一下而已。到后来，我坚信，那只是黎明前的黑暗，就不再想了，只要是他自己的东西，他想带什么就带什么。果不其然，两三个月后他就不怎么带了。

一天，乐乐突然坚定地对我说:“妈妈，我以后带的东西再也不跟昊昊交换了。”我说:“为什么?”“昊昊拿了我的遥控车说第二天给我带麻辣条，到现在都没带来。”(半年前发生的事)。听罢此言，我特别欣慰。

在他交换的过程中，我从没有强硬干涉过，使他有机会在周围世界中活生生地去经历与他人的交往，体会各种喜乐与忧伤。此种经历不仅仅是游戏或一系列毫无目的的活动，而是其成长所必需的过程，为他下一次的交往及交换积累了力量和经验。

(党小琴　乐乐妈妈)

＊孙瑞雪:

儿童是通过物品来发展的，或者说儿童是通过消费物来发展的。儿童必须首先拥有物品，才能消费这个物品。这就出现了物品的所有权问题。

别人的东西不可以拿;自己的东西给不给别人自己有决定权;拿别人的东西要征得别人的同意。这是儿童交往的主要原则。教师一定要帮助儿童建立这个原则并形成秩序。不打折扣地实行这个原则时，我们发现，儿童是愿意让伙伴分享玩具的。

到了5岁左右，儿童必然开始喜欢和他人分享物品，这是一种成长的规律，但在此之前，儿童的物品应归他自己所有，不能强迫他放弃自己的东西。也要告诉其他孩子学会尊重他人的拒绝。

但我们的许多家庭、许多学校都强制孩子将自己的东西分享给客人，这可能是我们民族的好传统之一，但它不适用于5岁之前的孩子。

几年前看一家电视台播放的少儿节目。屏幕上，一些三四岁的孩子围坐在主持人周围，主持人问孩子们："可以把你的衣服给贫困山区的孩子吗？"连续问了几个孩子，无一人愿意，最后一个孩子双手抱紧自己身上的衣服哭着说："我不给，这是我妈妈给我买的。"这一哭，所有的孩子都哭了起来，采访无法继续下去——镜头一转，主持人总结说："看我们的独生子女，多么自私！"

强制让儿童把自己的东西与别人分享，会让他产生这样的想法：我的东西被强制性地分给了别人，我也可以强行得到别人的东西。分享变成了交换或者是占有。家长和学校应该给孩子们分享的自由。有的孩子正处于"我的"占有敏感期，他要靠拥有自己的东西将"我"与"他人"区分开来。如果强制这个时期的儿童分享他的东西，会给他造成巨大的恐惧感和危机感。孩子到了四五岁时必然会愿意分享，因为他的心理已经发展到了另一个层面。

六七岁时，孩子才开始真正体会分享的乐趣，这时分享变成了一种快乐和良好的品质。

赠送、交换也是儿童交往和得到物品的方法。家长平时要给儿童一些玩具、食品，使他们拥有赠送和交换的条件。

社　交

樊琦2岁10个月入园，刚入园时情绪低落，拒绝老师抱她，拒绝小朋友拉她的手，排斥周围一切事物。樊琦的妈妈常给她带很多零食。刚开始她把零食抱在怀里，不要说和别人分享，甚至看都不让别人看一眼。

但最近樊琦开始喜欢站在一旁，看小朋友们一起玩，看小朋友们分享食品。有时她会自我安慰地说："我也有吃的，就不给你们。"

那天刘寰宇正在和小朋友分享食物，樊琦走到老师身边说："老师，我也想吃。""你可以问问他愿意不愿意和你分享？""他不给我！""你没问怎么知道呢？"樊琦壮着胆子走了过去，小声问："你能给我分享一个吗？"刘寰宇干脆地说："行！"给了她一个。

樊琦很快吃完了，接着又问："再给我分享一个好吗？"这次刘寰宇没有给她，而是提出了要求："那你也给我分享。"边说边指着樊琦手里的食物。樊琦犹豫了一会儿："好——吧。"小心地拿出一个和刘寰宇交换。两人交换了几次，看上去都很高兴。

有一天，我们班吴泽茜（比樊琦大一点儿的一个小女孩）带了一袋"麦咪"来幼儿园。她很喜欢樊琦，就给她分享了一块，但并没有要求樊琦给她分享。接受了几次分享物后，樊琦终于拿出自己的食物给茜茜分享。可爱的茜茜说："姐姐不吃，你吃吧！"

茜茜常常叫樊琦妹妹，并且要求樊琦叫她姐姐。看到茜茜不吃，樊琦过来很不解地对我说："她不吃！""她是因为喜欢你才和你分享的。她并不想吃你的东西。"我说。

过了两天，情况发生了彻底的变化。樊琦一到学校就把自己的食物分享给很多小朋友（狗狗、茜茜、蛋蛋、贝贝等），分完后还要求和他们一起玩，大家一起玩得非常快乐。

有时候别的小朋友带了吃的没给她分享，她会很生气地说："你不给我分享，我不和你玩了。"还要求别的小朋友也不和那个小朋友玩。就这样她开始有了自己交朋友的方法，还常跟老师说她最喜欢和谁玩，谁对她好，谁最坏之类的话。

"十一"长假后，樊琦的兴趣又转移了，开始对荡秋千很感兴趣，每天都荡，并且常常是一个人荡。她动作的协调性越来越好。看来她已经对分享食物、交朋友不感兴趣了。

也许樊琦的另一个敏感期又来了。

（秦莹）

*孙瑞雪：

在我们这里，孩子们有权将自己的东西带到学校。在自由自在的活动中，孩子们借助食物和玩具建构最早的人际关系智能，认识人与物，物与物，物与环境之间的关系。

有一次，3个男孩（4~5岁）来到校长办公室，每人手中拿2个蜘蛛侠模型，要给2个校长和我描述蜘蛛侠的特点。"他的胸前有一个蜘蛛""他的嘴像老头的嘴"……他们拿着蜘蛛侠在桌子的上空摆来荡去，显摆了一会儿，又把阵地转移到大厅里。3位校长对视一笑：3个孩子都到了身份确认的敏感期。这一共同的敏感期和共同拥有的玩具，使他们拥有了共同的语言，还自动组成一个行动小组。

和谐的人际关系不是在军队式的集体中建立的，而是通过自由选择伙伴、长期自由交往、对话、活动的过程而建立的。人是社会的存在者，正常儿童愿意和其他人交往与合作。因此，儿童一定要生活在一个适应的环境中，这个环境应该是自然（混龄的）而和谐的——一切该发生的都自然发生。这个环境应该是积极而友善的——孩子们和老师们互相尊重、平等地生活在一起。这就是爱和自由的成长环境。

❀ 分享成长：

触摸肌肤

我穿着一套短裙，刚走进大厅，3 岁半的一凡和龙龙迎面扑了过来，一人抱住我一条腿。我不知所措地停下来，不知他们要干什么。一凡抱着我的腿，手轻轻抚摸着，脸亲昵地挨着腿，笑呵呵地说："亲爱的！"亲了好几下我的腿。我也回答他："亲爱的，请你松手，老师要工作了。"他根本不听，我只好轻轻地拖着他走。另外一位老师过来帮我解围："宝贝，你喜欢王老师，但不能打扰老师工作。"这才把他们俩抱开。

第二天早上我穿了条裤子。走进大厅又碰到一凡，他没有任何反应地看看我。我还挺"多情"的，上前问了句："早晨好。"他理都没理我，继续玩自己的。下午我换回那套短裙，正上楼梯，一凡从后面冲了过来，抱着我的腿又开始说"亲爱的"，并亲了一下腿。我蹲下来说："宝贝，你喜欢老师吗？""喜欢。""老师也喜欢你，但是老师必须去工作。"我亲吻了他的脸，他满意地离开了。

（王灵雪）

＊孙瑞雪：

儿童是通过皮肤来思考，也是通过皮肤来获得爱的。许多孩子，包括很多成人都有肌肤恐惧症和肌肤饥饿症。学校里，新进校的孩子的肌肤恐惧症能达到很极端的程度。有的孩子碰破了皮肤，给他处理时，他非常恐惧。这时，老师和大夫常常先在自己身上示范，然后再在孩子觉得较为安全的手臂上示范，孩子还是疯狂地哭喊。这是无安全感在身体上的表现。

人在童年通过父母的抚摸获得身体的智能，也获得爱的感受。要尽可能触摸 0～3 岁的孩子的肌肤，甚至可以裸体拥抱孩子，亲吻孩子。当幼儿欠缺抚摸时，在爱和自由的环境中，他因为放松而将欠缺了的需求从潜意识上升到意识状态，恢复机制自动开启，以弥补成长中的缺憾。

等　待

这天早晨，进行完走线的游戏，孩子们照例铺开工作毯，开始进行各自的工作。

我发现4岁的多多虽坐在自己的工作毯上，目光却落在旁边刘子维操作的数塔上。4岁的子维将数塔块取出，又装进盒子里。她一遍一遍地取出、装进。20分钟过去了，她终于如愿以偿地装好，并盖上了盒盖。

旁边的多多，就在那儿静静地等了20分钟，等子维将数塔归位后，多多才将数塔拿到自己的工作毯上，开始工作数塔。今天她是最后一个走出教室的。

一个4岁的孩子把自己的冲动忍了这么久，这个情景令我感动。　（文文）

*孙瑞雪：

如果一个孩子正在玩或是正在操作一样玩具或是教具，另一个儿童也想使用，他只能等待别人用完后再用。这个原则同样适用于他自己。每天都要有这样的经历，孩子就逐渐明白了一个道理：要学会等待。

但通过这个例子我突然认识到，这里还有一个秘密。这个秘密是，我们首先约定了一种规则，并不断在日常生活中使用这个规则，共有的环境成为孩子练习遵守规则的场所，而遵守规则是儿童的天性。

逆反与等待

4岁的年年最近总和老师作对。午睡时他不断地发出各种喊叫声，我请他安静，他就说："老师是破飞机，老师是坏蛋……"越让他安静他越喊叫。小朋友们都睡了，他就来捉弄老师。我问他为什么要这样，他的回答真简单："好玩。"没办法，我只好请他进教室看书或工作。

进了教室，年年大喊大叫得更厉害了，我只好陪他待着。他开始时很高兴，觉得这样和老师在一起很好玩。过了一会儿，他开始不耐烦起来，坐在教室角落里什么也不做，还对我说："老师我难受。"我觉得小有收获，对他说："我限制了你的自由，不让你活动，你很难受，是吗？"他静静地看着我，没说话。我抓住时机继续说："年年，老师很尊重你也很喜欢你，你不想睡觉是可以的，只要你在自己的床上活动，玩玩具，不要发出声音，不要打扰小朋友就可以了。你忘了的时候，老师提醒你不要喊叫，你不能骂老师，你要尊重老师，老师会更尊重你的。"

年年认真地听着，沉默了。过了几分钟，我告诉他："年年你想好了告诉老师。"他笑了，不好意思地说："老师，我想好了，这是个秘密，不能说。"我也笑了："那你什么时候想说就什么时候告诉我。"我假装要走，年年忙叫住我，先是冲着我笑，然后不好意思地拉着我的手，轻声说了句：“老师，对不起。”我低头亲了他一下，告诉他：“老师喜欢你。”他高兴地跑出教室，悄悄走进卧室，爬到了自己的床上。

（王灵雪）

＊孙瑞雪：

你可以尝试着把孩子自身和孩子做的事区别对待：你是爱孩子的，但你不喜欢他这样做。让孩子感觉到这点，孩子就会安心和有勇气面对自己的行为。

孩子常常不知道自己犯了错误，一旦他们意识到，自己就会反省。孩子有自我反省的能力，老师要耐心等待孩子改正错误。这是孩子成长的必然过程。

首先，我们可以这样认为，凡是对自己和他人身心无害的事都不能算错。其次，儿童是在犯错误和改正错误中成长的。

有时孩子会故意犯错误，用明知故犯的方式来试探老师和成人的态度，来验证和体验爱和宽容的感觉。经过这个过程他就知道什么是错误，犯错误是什么感觉，然后他会改正这个错误。

如果成人爱孩子，告诉孩子正确的做法，儿童就会使用正确的做法而放弃错误的做法。这是正常的良好的成长模式。

若即若离

小牛牛3岁半了，很喜欢站在门口看别人。每天早上我都热情地问候他，冲他笑，可他看都不看我一眼，不仅不理睬，有时还会骂我一句，更不让我接近他。即使这样，我还是很喜欢他，每天不屈不挠地跟他打招呼。他那倔犟的神情总让我暗暗忍俊不禁。

一天下午，小牛牛居然主动走到我身边，神秘地说：“我给你指照片。”说完拉着我的手跑到展板前：“我知道那是你。”我抱起他，不顾他的反抗亲了亲他的小脸蛋。起初他有些反抗，但马上又得意地笑了起来。看着他的表情，我也抑制不住地哈哈笑了起来，我问牛牛：“我是谁?”“你是王灵雪。”他笑着回答。说完挣脱了我的怀抱，一溜烟跑了。他知道我是谁，却从不和我沟通。真有意思！

从那天起，小牛牛不再排斥我，我靠近他，跟他打招呼，他往往看我一眼作为回应，但不让我抱他。有时我正在走路，会听到他在后边叫我的名字，当我回头对他笑时，他却一溜烟跑远了。

（王灵雪）

＊孙瑞雪：

生命和生命的连接才是爱。这种真实是人类世界共有的故事，在孩子这儿一样美妙。

成人之间我们也常会见到这种互相喜欢、彼此触动和领略的情感，这种情感给人的感觉很特别，它是人类千丝万缕的情感的组合。诗人们为它写出朦胧诗；音乐家为它作出不朽的曲目……儿童感情世界的丰富常常超出大人的想象。

我的牙不是我的

星期一，我带孩子们去城市花园参观小区的物业管理。参观结束后，孩子们在儿童乐园里玩游戏。正玩得高兴，4岁的榕榕不小心摔了一跤，大哭起来。我跑过去抱起她，她渐渐平静下来。过了一会儿，她好像突然想起什么，又开始哭，边哭边说："我的牙是妈妈爸爸传给我的，不能碰破，也不能有小洞洞。"我听了有点儿吃惊："谁这样告诉你的？""是我妈妈。"

"你的牙是你自己的。"我告诉她。但榕榕想起牙的事就哭，还告诉其他孩子，她的眼睛、耳朵和鼻子都是爸爸妈妈传给她的，不能碰破。

我决定给她讲生命的诞生和人的成长过程。回到幼儿园，我拿出《大百科全书》，从"我是如何来到世上的"这一章开始讲起。听着听着，孩子们被书中的内容吸引了，榕榕也慢慢平静下来，不再哭泣。

听我讲完后，榕榕懂得了：是爸爸妈妈创造了她这个生命，但她身体的每个部分属于她自己，不属于别人。

（闫华）

＊孙瑞雪：

当父母给孩子建立了错误的概念或没有给孩子说清一个概念时，会给孩子带来恐惧和混乱，正如"我的牙是我妈妈和爸爸给我的"。儿童对不属于自己而又长在自己身上的东西会产生不安全感。生儿育女是人类的天赋能力，但这不意味着孩子是父母的私有财产。孩子是独立的个体，他是他身体的主人。

老师，我帮你

我正在为布置新教室而忙碌。走过小爱神班时碰到了叶欢。

欢欢叫住我说："蒋丽，你干什么去？"

我说："我到餐厅搬椅凳到3楼新开的小天使班里。"

她说："那我帮你吧！"

我问："你吃过早餐了吗？"

她用动作示意说："我早上在家喝了牛奶，我有力气！"

我说："好吧！"

叶欢和我一起下楼到餐厅。

我一次拿了4把椅凳。叶欢看我拿的方式也想拿4把。我提醒她请她少拿一些，她还是选择了4把。我看她吃力的样子就再次提醒她选1把。她把4把椅凳一起提起，发现根本走不动，于是说："蒋丽，好吧！我就搬1把！"她轻快地跟着我走出来。

上楼梯时，叶欢先把椅凳放上一级台阶再自己走上去，感觉很费力。六六妈妈想帮助她，她拒绝了。就这样上到第3层的楼梯时，她已经改变了方式，能够提着椅子轻快地走上去了。走进教室时她大口地喘气。我建议她留在教室帮我摆椅凳，她同意了。但是每次当我走到二楼，她就满脸笑容地下来接我，给我带路并告诉我她已经摆好了。

成人对于劳动或许出于责任或者出于目的，已经很少去感受其中的奥妙了，而孩子们却是真正体会劳动所带来的快乐，感受生活的意义，在这些点滴会聚成的小成长里诠释着生命的真谛。

看着孩子成长，感觉真好。

（蒋丽）

*孙瑞雪：

这里呈现出两个内容：一是孩子和老师（蒋丽是廊桥幼儿园负责后勤工作的管理者）的关系。不仅仅是彼此的平等，更是彼此间的认真对待，彼此间的爱和对生命的彼此尊重。二是关系中孩子做事情时的状态，被成人领略到了。孩子做他喜欢做的事情时，总是既认真，又负责，又彻底。

当孩子生活在爱和自由的环境中，每个孩子都会有这令人心醉的举动。因为这是孩子成长中的一个敏感期，在这个时期，儿童模仿成人生活的情景，并将自身融合到这一生活情景中。对儿童来说，他不是在辛辛苦苦地干活，而是在愉快地工作，工作给他带来喜悦。

第5章

4岁~5岁

出生——开始询问自己从何处来。这是儿童安全感最早的来源。

情感——不仅开始表达感情，而且关注别人是否爱他。对父母的情绪反应非常敏感。

人际关系——从一对一交换玩具和食物开始，到寻找相同情趣的朋友并开始相互依恋。

婚姻——人际关系敏感期度过后才真正展开。最早要和父母结婚，之后会“爱上”一个伙伴。

审美——开始对自我和环境有审美要求。尤其女孩子对自己的衣着和服饰产生浓厚兴趣。

数学概念——对数名、数量、数字产生了兴趣。只有三位一体地掌握，才算掌握了数的概念。

身份确认——开始崇拜某一偶像，积累未来成人时的人格特征。

性别——对性别以及对自身身体的认识基本来自于观察，如同认识眼、鼻、口一样，态度很客观。

音乐——儿童生来具有音乐品质。

绘画——儿童生来具有绘画品质。

符号——孩子对识字、拼读、认识符号等感兴趣。

出生

——开始询问自己从何处来。这是儿童安全感最早的来源。

我是从妈妈哪里生出来的

这几天，总有几个大孩子问我出生方面的问题。“老师，我是从妈妈哪里生出来的?”为此我再一次打开了《百科全书》，翻到关于“怀胎十月”那一章，开始了阅读。

那一天，所有的孩子都聚集到了绿线上，选择位置坐下来仔细聆听。“小宝宝是从妈妈的身体里一个叫子宫的地方生出来的……”

当我阅读完那篇介绍出生的文章后，小朋友已按捺不住自己激动的心情，争着提出他们的疑问。

一个孩子首先发言：“老师，妈妈告诉我，开始我是一颗种子，是爸爸把我种进妈妈的肚子里，然后发芽、成熟，最后我就出来了。”

一个孩子说：“不是这样的，我妈妈说，我爸爸像一只蜜蜂，他用刺叮了妈妈一口，结果妈妈就生了我。”

另一个孩子争辩着：“你们都上当了，我妈妈告诉我的才是真的，和老师说的一样。”

我问：“那你妈妈是怎样告诉你的?”

孩子说：“我妈妈说，我是由爸爸的一颗精子和妈妈的一颗卵子相遇、相处变成一个受精卵以后，慢慢长大的。”这个4岁半的男孩终于澄清了事实，他的语句坚定而不质疑。

一个孩子听着几个孩子的争论，忽然开口：“老师，那个像蜜蜂的爸爸叮了妈妈一口，是不是妈妈的肚子就肿了起来，然后我就生出来了?”

（王雅静）

*孙瑞雪：

儿童会永远关心一个命题：我从哪里来，要到哪里去?

妈妈怎样才能生一个孩子

也许是因为我刚刚结婚的关系，班里的孩子开始对两个问题感兴趣：一是我为什么不和班上的男老师结婚；二是我为什么结婚了还没有生孩子。

为此，我设计了一节人体课——我们是如何来到这个世界上的。孩子们提了很多的问题，例如：妈妈生他们时疼不疼，双胞胎是怎么回事。只有卜文又问了一遍，妈妈怎样才能生一个孩子。

卜文妈妈对我说："卜文这几天问了我一个问题，我和他爸爸怎么会有他的。"我告诉了卜文妈妈应该如何回答孩子。

一天下午快下班的时候，卜文回到教室，看我一个人，就问："老师，你一个人感觉寂寞吗？"我说："有一点。"他说："那我和迪迪进来陪你。"我说："谢谢你们。"这时，我爱人来接我下班，我请他帮助我削铅笔，我也做一些准备离开的工作。突然，卜文问我："老师，你们的精子和卵子什么时候才结合呀？"我好惊讶，我爱人也一副惊愕的表情。我俩有点不好意思地笑了。我说："卜文，当我们对迎接孩子有了心理准备时，能够让我们的孩子快乐生活时，我们的精子和卵子就会结合生一个小宝宝。"卜文终于明白了，满意地走开了。

（王莉）

生命的诞生

文 ◎ 孙瑞雪

"你是从垃圾堆里捡来的。""你是从石头缝里出来的。"这种在成人看来是玩笑的话，会对孩子造成伤害，即使孩子长大了，知道这是玩笑话，它给儿童带来的潜意识也很难消除。

有些母亲是剖腹产子的，认为可以告诉孩子。一次，一个男孩听完妈妈的讲述后，泪流满面，抚摸着妈妈肚子上的伤痕，边哭边说："等我长大了，绝不让我的妻子生小孩。"他认为妈妈受这般苦全都因为自己。

一次中午值班，我给孩子们读《儿童世界百科全书》中"生命的诞生"。读完后，有三个孩子扑倒在我的怀里哭泣起来，其他孩子坐在小椅子上，安静得一言不发。这件事让我震惊，他们为什么哭呢？

为了弄清这个问题，下午，我在另一个班读了同样的内容。读完后，又有孩子哭了。这一天，我想了各种解释，但我心里明白，每种解释都牵强附会。

晚上，我和儿子躺在一起，讲他出生的过程，儿子抱着我哭了。我又一次被震动，但依然不明白。

直到有一天，我突然领悟到，生命的诞生是一个了不起的奇迹。我们每一个人都来自某个地方，如果我们知道自己来自那个地方，那就等于在我们眼前打开了另一扇生命之门，孩子们是被感动得哭了。

学校里每一个孩子，到了一个年龄段就开始追问："我从哪里来？"这时孩子就开始读那一章——"生命的诞生"，并反复看上面的图画，有的持续几个月。这之后，他们开始对人体产生了极大的兴趣，对男女的差异也产生了极大的兴趣：儿童开始区别自己了。

心理学家弗洛姆认为人感到孤独、无能、无安全感，首先自于人同自然界的基本联系的丧失。成人已经难以理解这一点了，而儿童身上还有自然的一部分天性，儿童需要知道，作为生命，我们有自然诞生和自然死亡的过程。这种来去自然的现象能给孩子巨大的安全感。

问题的症结在于，成人认为生命诞生的通道同性有着紧密的关系，而我们对性的认识不是从正常渠道得来的。这种偷偷摸摸的做法，因此更带有刺激性，使得成人会认为性是洪水猛兽。

对于0～12岁的儿童来说，认识性别、性器官以及孩子们之间的情感，就像认识眼睛、鼻子一样。在我们小学，当老师将这些内容正面讲给孩子们时，孩子听得非常认真，像听任何其他课一样正常。其中一个孩子的生殖器官做了小手术，他就坦然告诉其他孩子：他不能跑操。其他孩子告诉老师时，就如同说他鼻子动了手术一样，没有一个孩子神神秘秘、大惊小怪，没有一个孩子在这个问题上有暧昧的想法。

情感

——不仅开始表达感情，而且关注别人是否爱他。对父母的情绪反应非常敏感。

爱我有多深

4岁半的棒棒最近感情变得细腻起来。

这两周来，每天早晨一下校车，他都要走到老师身边，深情地对老师说一声："我来了。"老师蹲下和他打招呼时，他会亲老师一下，然后慢悠悠地走开（他的动作一向很缓慢）。他每天坚持这一程序，有时会站在那里，面带笑容地等着你作出喜爱他的反应。

棒棒和单单是好朋友，俩人总在一起玩。过去俩人闹矛盾时，"不跟你玩了""明天我不给你带好吃的"之类的话常从他俩口中说出。但这段时间俩人相处得很好。

棒棒很让着单单，也很愿意照顾她。有一次，我们坐幼儿园的车去参观机场。棒棒下车后，一直站在车门口等着单单，单单下车时，他赶忙伸手去扶，然后俩人一起拉着手去排队。无论到哪儿，他都要和单单拉着手。

一天早晨，我在园门口接孩子。园车到了，棒棒缓缓从车上下来，慢悠悠地最后一个走进大厅。我迎上前问候："早上好！"他也回应道："早上好！"并伸出手让我抱他。我抱住他说："老师爱你！你爱老师吗？"

棒棒笑眯眯地说："爱！"

"爱得有多深？"

棒棒迟疑了一会儿："1米6！"

我怎么也没想到他会用"1米6"来回答"爱有多深"。

我说："爱一个人不能用'1米6'来回答，可以说'爱得像海一样深'。"他看了看我，想了片刻，似乎很不解地走开了。

下午我又问同样的问题，他认真地看着我，干脆地说："海水！"

（秦莹）

＊孙瑞雪：

生活如歌，这歌的主旋律其实由情感谱成。

情感的表达能力、表达方式、表达程度，每个孩子都不同，我们要保护这些表达，让儿童没有障碍地用心和这个世界交流，做一个人格统一的人。

人际关系

——从一对一交换玩具和食物开始，到寻找相同情趣的朋友并开始相互依恋。

人际关系的敏感期

儿子从4岁半以后就出现了人际关系的敏感期。

最初的时候他会从家中带食品和玩具去学校，每天一进校门看见几个孩子，他就跪在地上，摊开自己的食品说："跟我玩吗?"旁边的孩子说："跟呢!"他说："随便拿吧!"一会儿工夫所有的食品都被"瓜分"完毕。之后看见他和朋友头对头地玩沙或追逐，显得愉快又满足。

很长的一段时间里，他带到学校的食品很多都是分享或是交换自己想吃的，用这种方式和别人交往。可是他时常也特别苦恼，每次都会对我说："没人跟我玩!"在他倾诉的过程中，他会表现出自己对交往的看法。他说："妈妈，有时候他们跟我玩，有时候他们不跟我玩，连零食都派不上用场。"我不知道怎么安慰他，只是从心底里理解他的感受："妈妈知道，刚开始交朋友很难，当他们不跟你玩时你会很难过。"我紧紧搂着他，以便让他感受我给予的支持。

除了食品他还频繁通过交换玩具来发展自己的人际关系。每天上学前他必须要做好的事情就是选玩具，偶尔会选很多玩具，用自己的书包背到学校，晚上回家时几乎所剩无几。就这样他也会高兴地对我说："看，这是我交换的。"说着就给我示范它有几种玩法，津津乐道乐此不疲。后来他见了拿着玩具的孩子就说："交换吗?"他对交换如此渴求令我惊叹！我也发现每交换一次他就积累一次交往的经验。

有几次他也会恼怒地说："我被骗了!"原来他没有看清楚对方的玩具就盲目地交换了，后来发现是坏的，所以他懊恼自己，也埋怨别人。很多时候他还想将自己的玩具要回来或再次交换回来。在这个过程中他经历了各种复杂的感受：交换后后悔时的难过，交换成功时的喜悦，渴求交换时的焦虑，等等。

经过一年多的交往，现在，我发现他开始用自己的个人能力和魅力来结交朋友了，也开始思考人与人之间的关系。比如他对交换有了全新的理解，他说："交换就得公平，就是好的交换好的，坏的交换坏的。要是好的交换了坏的就不公平了，我以前就被骗了好几次。"我笑了笑说："是吗？说说看！"他煞有介事地说："就是我没有看清楚那个玩具，就交换了，但是发现是坏的，他们有时不让我看一下再交换，所以我被骗了。"我说："那下次你该怎么办呀？"他说："反正他们不让我看玩具，我就不交换，我交换的时候都会让他们看的，有时候我也会告诉他们怎么玩呢！"

有一天他又对我说："妈妈，有时候我有玩具，朋友也不跟我玩，因为他们和其他人玩，我就得等待，等他和别人玩完再和他玩。"听到这些话我觉得特别感动，孩子就得自己交往，自己积累，自己整合，这样他们才能真真切切地建构属于自己的人际关系。

（丁红霞　马丁伊凡妈妈）

人际关系的敏感期

文◎孙瑞雪

人际交往的敏感期，是儿童成长和发展过程中一个很重要的需求。我们生活在关系中，我们的各种问题就是关系导致的，所以这个敏感期的发展，将为儿童成人以后奠定非常重要的基础。

我们看到，最早儿童先对物感兴趣，对人还没有产生一种真正的连接。当跟人产生连接时，往往是一对一的连接关系。很多成人以为，儿童生活在一个集体环境中，就自然学会了人际关系。事实不是这样的。真正的关系是在跟某个人产生连接的过程中发生的。

儿童首先是通过食物来产生连接，就是"我带好吃的跟你分享，你跟我做好朋友"。但是，两三个月之后，儿童很快发现一个秘密，就是，当我没有好东西的时候或者当你把我的好东西吃完之后，我们之间的关系就结束了。儿童一旦发现这个秘密，就会找一个不会消失的东西来跟周围的小朋友建立关系，通常就是用玩具。

儿童开始通过分享玩具给对方玩，或者相互交换玩具，或者把玩具赠送给对方来建立关系。通过几个月的发展，很多孩子发现，如果把自己的玩具给对方，对方一旦得到这个玩具以后，就可能结束这个关系。儿童再次发现，通过玩具也不能维持一个正常的交往关系。所以经过几个月以后，儿童又会再次放弃这样的一个关系。

到4岁多5岁的时候，儿童终于发现，交朋友的一个重要内容来自于我们有相同的东西，比如相同的爱好和兴趣，或者我喜欢他，或者他喜欢我，或者双方能够相互理解。我问一个孩子："你为什么要跟他成为朋友呢？"他会很认真地看着我说："因为他理解我呀，所以我要跟他交朋友。"

在人际关系中，儿童最终会发现，真正的朋友是建立在志趣相投、彼此关爱、相互理解和相互倾听的基础上。达到这种状态的时候，儿童就能发现，他和伙伴之间的关系，达到了一种真正的和谐。

但是在这样的人际关系中，我们依然能看到两种不同类型的儿童，一类是对物感兴趣，一类是对人性充满兴趣。

对物感兴趣的小朋友，他们会因对某个事物的兴趣一致聚在一起，比如说一起玩车，一起玩机器人，一起玩飞机。他们对人之间发生的关系不感兴趣，但是他们对共同的事物感兴趣，这种状态非常像成人的俱乐部，比如说摄影俱乐部、足球俱乐部等。

对人感兴趣的这部分小朋友，他们会通过人与人之间的关系来发展友谊。比如说，他们最早期会出现控制与被控制的关系：一个孩子被另一个孩子控制住了，被控制的孩子会依附于对方。几个月以后，被控制的孩子发现，依附会使自己不独立，心里不舒服，不能依附于他人，自己必须独立。这个时候，斗争开始了，反控制和反依附。几个月之后，儿童终于发现，人与人之间可以达到一种和谐，这种和谐是依靠规则来建构的。

我举个例子。在我们学校有两个小朋友，一个男孩一个女孩，女孩到男孩家玩，男孩要当狮子王，女孩也要当（有一部动画片叫《狮子王》）。两人争当狮子王，为此吵了起来。

大人就帮助协调说："男孩当狮子王，女孩当娜娜，这样分配角色合适。"大人的建议惹怒了女孩，女孩说："因为我是女的，所以就要让我当娜娜吗？这不公平。"成人的介入并没有能帮助这两个孩子，后来就不再介入。

几天之后，两个孩子又在一起玩了，而且很和谐。父母就问："你们是怎么样解决前面的问题的？"孩子说："如果我到他家，他就是狮子王；如果他到我家，我就是狮子王。"他们建立了一个规则、一个承诺。在关系之间，他们学会了放弃一些东西，然后满足对方的一些需求。

后来，其中一个孩子的妈妈问孩子："你觉得你们两人之间发生了什么问题?"孩子说："他想控制我，但是他没有控制住，我很快就从他的控制中跳了出来；有时候我也想控制他，我也没有控制住，他也从我的控制中跳了出来。最后我们发现，这样不行，我们就建立了一个规则，谁也不控制谁。"我们说人际关系达到这种状态的时候，一个认识人际关系的周期就被完好地形成了。

5岁多6岁的时候，儿童对规则高度感兴趣，所以一起玩时首先建立规则，对方同意后才玩。这实际是一个承诺和契约。有趣的是，这是在成长中自发完成的。

在实际生活中，我们可以看到成人的状态，他们都停留在权力斗争中，在控制与反控制中做着这种人间游戏。他们甚至没有达到我们所说的儿童的这种人的正常状态。所以让孩子在爱、自由、规则中成长，会提升和进化人的生命意识和素质。

要让儿童把人际关系的敏感期发展好，就要让他自己完成这样一个周期。在这个周期中，给孩子空间，让孩子自己处理问题，直到孩子需要成人才介入。但介入的时候并不是告诉孩子应该怎么做，而是要倾听孩子，让孩子说出他们的纠纷，让他们自己找出关系中存在的问题。这就是我们所说的，儿童拥有权利发现问题、解决问题，并且设计出解决问题的计策和方案的自由。不能剥夺儿童这样一个自由。这样能使儿童人际关系的敏感期顺利、完整地达到下一个周期。

婚姻

——人际关系敏感期度过后才真正展开。最早要和父母结婚，之后会"爱上"一个伙伴。

结婚和爱

一天，4岁的薇薇对我说："老师，我结婚的时候穿这件衣服。"她穿着一件粉色带帽的小风衣，把帽子戴在头上，披着衣服。这样可能让她找到了结婚的感觉。

我问她："那你为什么不穿婚纱呢?"

薇薇说："妈妈还没给我买。"

薇薇很认真地回答："我的男朋友没有钱。老师，我的男朋友是蔡晨，他是我的王子，我是他的公主。”

我也很认真地问她：“你爱他吗？”

薇薇严肃地回答：“爱呢。”

我蹲下来：“他爱你吗？”

薇薇想了想：“不知道。”

我继续追问：“他不爱你，你和他结婚吗？”

薇薇想了想，肯定地回答：“不。”

过了很长时间之后，薇薇认真地告诉我：“老师，我长大以后要找一个真正的王子结婚。”然后，薇薇开始和其他孩子一块儿玩了。她情感的敏感期完整地度过了！

（王灵雪）

＊孙瑞雪：

婚姻敏感期旨在发现婚姻关系的本质和核心。关系是彼此相爱的，互爱是结婚的基础。达不到彼此相爱，就可以重新选择，不会因爱而失去选择生活的能力。

自己想明白了

儿子琪琪4岁多时，幼儿园来了个1岁半的小女孩嘉宝。几天后，琪琪脸上挂着彩回到了家，我问他怎么回事，他不肯说。我去幼儿园问老师，老师说那是嘉宝挠的，还说琪琪对嘉宝情有独钟，总是温柔地用手轻轻抚摸嘉宝的脸，并轻声唤她：“宝宝，宝宝。”每当这时，嘉宝便毫不客气地伸手抓他的脸，而琪琪既不还手也不恼火，还是一如既往地和嘉宝好。

没过多久，琪琪的苦恼更多了。他喜欢跟在宝宝后面为她服务，尤其是吃完饭喜欢拉着宝宝的手回教室。宝宝的教室在二楼，而宝宝正在经历攀爬的敏感期，坚决不让人拉着上楼。有一次，我看到琪琪遭宝宝拒绝后痛苦地躺在地上大哭，实在不忍心看儿子受折磨，就冲过去抱起他，拿出好吃的教他：“把好吃的给宝宝，她就能让你拉她的手上楼！”在一旁观看的孙咏然（5岁过一点）很同情地对我说：“不顶用，好吃的一吃完，宝宝就不让他拉了！”刚以为情况好转的琪琪，听完孙咏然的话又哇哇大哭起来。我一时想不出良策，又教儿子：“要不把你的车送宝宝？”

受到了鼓励，儿子举着他心爱的车追宝宝去了。孙咏然不以为然地看了我一眼，转身走了。

一天下午，我坐在学校的大厅里观察孩子，琪琪的好朋友浩浩捧着一个大茄子兴奋地跑进了大厅，那是从后院的地里摘的。只见浩浩径直跑到卡卡（女孩，2岁6个月）身边，伸出手："卡卡，送给你。"卡卡正在和另一个同龄的小朋友玩，回头看看茄子，"嗯"了一声，转身接着玩。浩浩又转到卡卡的另一边："卡卡，给你！"卡卡又"嗯——"了一声，继续玩。浩浩手捧大茄子，坚持不懈地在卡卡身边转悠着，非要把那个茄子送给卡卡，可卡卡始终不领情。

坚持了好一会儿，浩浩手里的茄子始终没送出去。只见他小心翼翼地把茄子放到栏杆上，走到卡卡身边，蹲下来，抱住卡卡的一双小腿，想要站起来。因为身体的不平衡，眼看着卡卡的头要往下栽，浩浩又弓下身，极有成就感地把卡卡放到地面上。

半年后的一天，老师给孩子们发杧果干。嘉宝站在琪琪身后快速吃完手里的那份，然后把手伸出去："琪琪，琪琪。"琪琪面无表情地往前走，头也不回。我赶紧冲过去，一把把儿子拉到旁边，悄声说："机会来了，快把杧果干给宝宝。妈妈再给你买。"儿子抬起头憨憨地说："我已经不爱她了。"我惊异地问："为什么？"儿子说："因为她不爱我！"我好半天没回过劲儿来。事态已经发生了变化，我还不知道。他已经自己解决了问题。

晚上回家时，儿子坐在我的车后问我："妈妈，如果我爱她，她不爱我，我们能结婚吗？"

我克制自己多话的习惯问他："你说呢？"

他说："不能。"

我说："对。"

他又问："妈妈，如果她爱我，我不爱她，我们能结婚吗？"我又问："你说呢？"

他说："不能。"

沉默了一会儿，他说："应该这样：必须我爱她，她也爱我，这样我们才能结婚。"

我长长舒了一口气。

儿童太接近真理了。

晚饭后，坐在电视前，我看到几乎所有的台都在讲一个故事：他爱她，她不爱他，她爱上了另一个他；他无比痛苦，为之心碎。有的连续几十集，没完没了地演绎。我忍俊不禁，当然这是艺术创作。生活中，这个问题可能是在6岁前解决的。

（均瑶）

***孙瑞雪：**

儿童形成结婚的概念，表明他对性别、对自我、对异性已经有初步的感觉。作为家长和老师，对此不要大惊小怪，一定要平等地、正常地、科学地和孩子交流。

你能想象婚姻的敏感期到来时，孩子们需要解决多少问题？需要建立多少正确的概念？需要迎接多少挑战？需要经历多少情感上的折磨和痛苦？这一切经历让孩子为成长积淀力量。

孩子在建立婚姻的概念并应用它，并且真的投入了情感。儿童已认识到婚姻是人之间的基本关系，是要建立的最亲密的关系。他还认识到婚姻是两性间的，有年龄特征的等。

婚姻的敏感期

文 ◎ 孙瑞雪

婚姻的敏感期一般出现在孩子4岁以后，有些在3岁多就进入婚姻敏感期的初始阶段。

初始阶段的表现是对自己父母的喜欢。我们知道，儿童对男人或者对女人的首次理解是对自己爸爸妈妈的理解。女孩会说我要跟我爸爸结婚，男孩会说我要跟我妈妈结婚，这是最早婚姻敏感期出现的一个雏形。

随着年龄的成长，儿童对婚姻的认识也会逐渐发展。比如：最早爱爸爸或者爱妈妈的时候，就不会有年龄的认识和区分，有的要跟妈妈结婚，有的要跟老师结婚。他不会觉得妈妈、老师跟他的年龄有太大的差距。但是再发展一段时间后，孩子突然意识到，我应该跟我同龄的人结婚。这时，孩子就会在小朋友中间选择婚姻的对象。这时候的选择会是一种强行式的一相情愿："我要让谁谁当我的王子！"如果人家不乐意，孩子就会哭："你要当我的王子！"老师介入了，问她："你是不是很爱他，很喜欢他？""是的！""可是喜欢是两个人的事，他不喜欢你，老师认为你可以重新选择。"实际上，当我们告诉孩子他可以重新选择的时候，就等于帮助孩子选择了一条出路，这个状态对儿童来说是非常重要的，儿童立刻就发现：我是可以重新选择的。

这个时期过去后，儿童开始懂得用一些方法和技巧去和自己爱慕的伙伴交往。

比如：儿童会用吃的哄对方，拿玩的哄对方，帮助对方，发生事情的时候站在对方的一边替他辩护……幼儿园里有一个男孩喜欢一个女孩，摘了一个茄子献给她，左边给不要，右边给不要，最后女孩不理他了。男孩很痛苦，老师就告诉他："她不需要茄子，换一个女孩喜欢的东西。"

再发展一段时间以后，大约是5岁左右的孩子，会因为喜欢而痛苦……这实际在大人中间也经常发生。

等孩子长到五六岁左右的时候，他们会坦然接纳这个问题：你很不错，所以也有别人喜欢你，你可以选择别人，也可以选择我，没有关系。你不选择我，不是因为我不好；你选择他人，也不是因为我不如他好，而是你们更合适。通常孩子发展到6岁的时候，就达到了这一生命状态。

儿童时期是一个纯粹的情感培养和情感发展的过程，让儿童在童年顺利度过婚姻的敏感期，将为孩子成人后的婚姻关系奠定基础。事实上，婚姻的敏感期很大程度上标志着儿童的情绪、情感是否能达到一个成熟的状态。儿童通过几个月来发展完成的事情，可能成人10年或者一生都没有办法解决。

我常常跟家长说："为什么你觉得孩子讨论婚姻这个事情不好呢？家庭和婚姻是陪伴我们大半生的一个内容，为什么不让儿童在小的时候，就把这个问题解决呢？解决这个时期的问题，将帮助儿童健全他的情感世界，健全他的家庭关系，健全他的婚姻关系。婚姻的敏感期，实际是儿童最早开始涉及成人世界的道德问题。由于很多妈妈在这个问题上不清晰，勒令孩子不许谈这个问题，也不许交往，这个观念不仅仅破坏了儿童的婚姻敏感期，同时也过早地给孩子强行加进了一些比较暧昧的意识和不良的意识形态观念。"

所以，婚姻敏感期到来的时候，我们每一个父母都应该很高兴，因为我们可以在这个过程中，为儿童建立更好的婚姻观念，为儿童建立更好的爱的观念和丰富的情绪。

审美

——开始对自我和环境有审美要求。尤其女孩子对自己的衣着和服饰产生浓厚兴趣。

追求完美的芊芊

芊芊今年4岁多快5岁了。从4岁开始，有些行为格外磨炼妈妈的意志。

比如在外上厕所，哪怕有一点点脏都不上，憋着尿，一定要找一个干净的卫生间才肯去。进去后要格外认真地把裤腿挽到大腿上，然后小心地选好位置蹲下（在外她一般选择蹲便），这才开始方便。在北戴河有两次我们在餐厅吃饭，她坚决不上那里的卫生间，我们只好到外面找个偏僻的地方，她才肯了。

还有两次，在外面的宾馆里（在我们看来条件还行），但还是不符合这个孩子的干净标准，一直憋着不上厕所，直到实在控制不住了，在卫生间里尿了裤子，大喊妈妈。我过去一看，水漫金山！她对我说："妈妈，我刚才像会走路的水龙头。"让人哭笑不得。

吃饭的时候一定要绝对干净的筷子，盘子碗杯不能有一点水的印迹。于是饭前换几次餐具是常有的事。

最考验人的是当你早上急着要出门的时候，她蹲在那里穿袜子，非常认真地，把袜子端端正正地对着脚丫穿进去，严格地把脚后跟和袜子的脚后跟对在一起，每个脚指头都要和袜子完美地吻合，不能有一点不妥帖的地方，一定要严格保证袜子是绝对大小合适的，不然她绝对不穿。还要把秋裤平平展展地塞在袜子里，这才开始穿外裤。穿完之后，再把裤子好好地提上来，从裤衩到外裤，不允许有一点点歪或不合适（包括长短）。

在这个时候，妈妈用什么方法都会有些无奈，唯一能做的就是等待和陪伴。好在5岁以后，这种情况越来越少了，芊芊逐渐变得有秩序而且灵活变通。

（孙颖　芊芊妈妈）

爱美的钰钰

4岁3个月时，钰钰爱美的敏感期到来了。那些日子，一进教室，她就一个人躲在化妆间内开始涂脂抹粉，整天化妆、打扮并欣赏自己。

化妆间是我在教室里专门为孩子设立的。在这之前，我专门给孩子们上过化妆课，展示过整个化妆过程。钰钰就是按照这一顺序给自己化妆的：先很认真地将自己的小手洗干净，然后抹油，搽粉，画眉，画唇线，涂口红，用棉棒擦去画到线外的口红，用面巾纸沾去多余的口红，打胭脂，然后把发辫梳理整齐。完成所有程序后，很自信地在镜子前自我欣赏半天，然后满足地离开。

过了大约1周半，钰钰又开始在意起自己的头饰和衣着。常常问老师或小朋友：

“看我穿这身衣服漂亮吗？”到了第三周，她开始喜欢画小哥哥小姐姐，给每个女孩子都画上小辫子和漂亮的头饰。

（秦莹）

＊孙瑞雪：

审美的敏感期是螺旋式发展的，从对吃的东西要求完美、完整，到对所用东西要求完美、完整，再到对自我的形象要求完美，最后上升到对环境、对内在气质、对艺术品质追求完美等。

审美的敏感表现在各个方面。女孩子4岁开始出现的审美意识将影响她一生的气质和审美能力。

> ＊ 让成人来感受一个人的气质，实际上成人的气质是由儿童期间的审美导致的，童年的审美奠定了人一生的审美倾向和生活品质。

＊ 一个女孩说："我是世界上最美丽的女孩，因为我是独一无二的。"另一个女孩也说："我也是世界上最美丽的女孩，因为我也是独一无二的。"原来我们每一个人都是最美丽的，因为我们都是独一无二的。

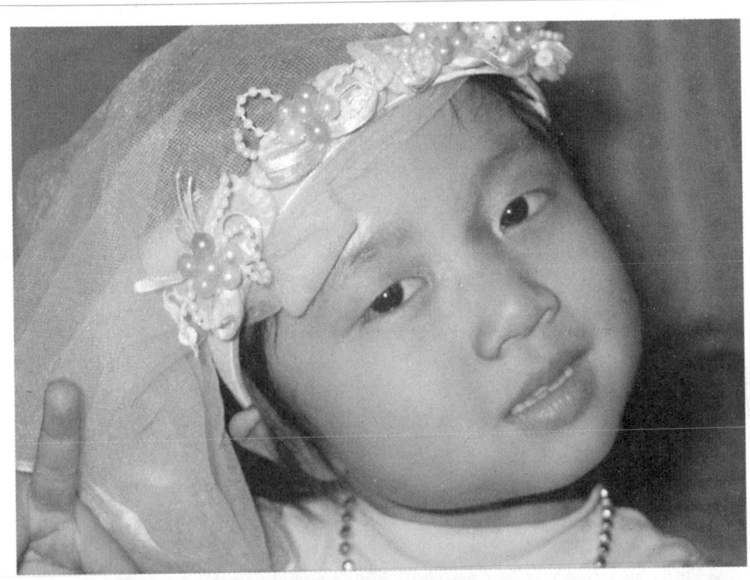

数学概念

——对数名、数量、数字产生了兴趣。只有三位一体地掌握，才算掌握了数的概念。

乔乔的发现

2岁3个月的乔乔，有一天发现一盒扑克牌，便立刻打开摊在床上来回摆弄。忽然他拿起两张“5”兴奋地说：“妈妈看！”我说：“再找找看，里面还有。”最后他终于找出4张“5”。巨大的喜悦推动他继续做这个活动，不停地寻找相同数字的牌，每找出一组我便告诉他那是几，反反复复一直持续了很久……接下来几天，他每天都在重复这个活动。

1周后，我随意说出一个数他便能迅速找出。偶尔我们互换角色，他说我找，每当我佯装找不到时，他便显得非常开心，并热心地帮我找出。

大约3周后，乔乔渐渐不再对这个活动感兴趣。开始对出租车座位后的电话号码感兴趣（如：订购特价机票的电话，或某公司的电话），每次乘坐他都一遍一遍地指读。

再后来乔乔又发现了车牌号，开始读每辆车的车牌号，不过总是无法将“6”和“9”区分。等公交车时，他也会不停地问：“这是几路车？这是几号中巴？”遇到自己认识的，便会早早地喊出来。

给他吃的东西时，他会认真地数，并给家人分配。当家人笑着说怎么给我2个而给他3个时，他忙做调整，但如果还是不一样，那时他总是显得苦恼。

玩车时也会努力地清点车辆，走在路上也会去数树木。

伴随着绘画敏感期的到来，乔乔又开始忙着整天画画。画着画着，一天他不经意地写出一个数字，大叫着喊我：“妈妈看我写的！”看到这，我忙抓住时机在纸上写下1～10的数字，让他照着写（说是写还不如说是画）。他认认真真照着我的模板画，画到“8”时有些困难，我就教他画两个圆圈。

几天后乔乔不再满足于这样画“8”而是要求像我一样绕“8”。经过反反复复尝试，终于能够完整地将一个“8”绕好。虽然他的“8”字看上去像在睡觉，但是我和他都很激动。写“5”和“7”时，他会自然而然很顺手将其写反，就好像那两个数字原本就是那样写的。我给他示范过几次正确书写，也提醒他“发现了什么”，但他就像压根看不到，注意不到，依然乐此不疲地按照自己的方式书写着。

直到学前班第一个学期结束后，乔乔才开始能够将“5”和“7”写正。

在预科班（约6岁1个月）时，乔乔开始对数字逻辑感兴趣了，每天不停地问我：“妈妈，一只蚂蚁吃一个苹果需要多少天？100只呢？1000只呢？”

“飞船和火箭谁快？快多少？”

乔乔还会测量一米他需要走几步，之后推测自己走10米的路需要多少步，还有30米、100米……甚至还推测自己从一个地方走到家门口需要多少步……问很多的问题，只可惜当时没有记下来，只记得有些问题搅来搅去我都糊涂了，他却兴致盎然，有很多问题我也没有办法解答他。

这段时期过后，乔乔又开始书写1~100的数字，不仅写，还模仿班中100板的作业纸给自己画很多小格子，之后将数字填写进去。

几周后乔乔还变着花样地写数字，如写出一个数字，在上面添加几笔将其变成一个有趣的图案，看起来非常奇妙！

这些日子乔乔又开始琢磨买东西的事。如：7元钱够买什么东西；不够买什么东西，需再加几元钱可以买；买几样东西时合计多少钱；人家应该找他多少钱等。

（王惠伟）

*孙瑞雪：

乔乔数学的敏感期给我们展示了一个完整的敏感期的周期过程：对数名的兴趣、对数字的兴趣、对数量的兴趣、对数的书写的兴趣、对数的序列的兴趣、对数的运算的兴趣……在这个周期中，时间和兴趣的关系，生活和数的关系都展示给了我们。

数钱数乱套了

（一）

“明天早晨请大家带5元钱。门票4元，剩下1元我们买一些蔬菜。”坐在接送孩子的车上，我通知丹丹、雯雯、茜茜3个女孩。她们都已5岁多了。

丹丹没听明白，问我：“丁老师，带5块钱还是4块钱？”“带5块，门票4块，剩下1块用来买蔬菜，比如说西红柿、黄瓜什么的。”我补充着，但看她的眼神，我估计她还是没听明白。

果然，过了几秒钟丹丹又问我："丁老师，我带 4 块钱吗?"我竖起 5 个手指头说："带 5 块钱。""那 4 块钱还带吗?"雯雯在旁边问。我用同样的手势告诉她："带 5 块钱就行了，因为 4 块钱加 1 块钱等于 5 块钱。"

丹丹依然有些糊涂，她竖起 4 个指头说："4 块钱。"再竖起一个小指头说："1 块钱。"最后再竖起一只手说："等于 5 块钱对吗?"我重重地点点头。

坐在旁边的茜茜说："我带一个 4 块钱，一个 1 块钱就够了。"我解释道："没有 4 块钱的纸币，你带一个整 5 块钱就够了。"她看了看我，视线慢慢移向车窗外，若有所思的样子。我觉得我的解释反而把她们弄糊涂了，索性不再解释，决定下车时通知家长。

（二）

第二天，丹丹和雯雯带了 5 张 1 块的纸币，茜茜却带了 1 张 10 元纸币和 1 张 5 元纸币。一上车丹丹就拿出自己的钱给我看："丁老师，我带钱了。"我点点头问："带了 5 块钱?"她没回答我的问题，却在旁边一张一张数了起来。看着她数钱，茜茜发言了："我妈妈说没有 4 块的钱，所以我妈妈就给我带了这两个钱。"丹丹问："你带的是哪两个钱?"茜茜看了看我，举给她们俩看："这两个钱。"我替她补充："这是 10 块，这是 5 块，一共 15 块钱。"丹丹问："带得够不够多?"茜茜自己也没搞清楚，就没回答丹丹的问题。丹丹批评茜茜："你有用的没带，没用的带了。"我说："茜茜带的钱足够了。"听完我这句话，茜茜顿时豁然开朗，对丹丹和雯雯说："看，够了吧!"

她们 3 个人都放心了。我却有些茫然。应该怎样说话才能让孩子清楚地理解我的意思呢?

（丁红霞）

* 孙瑞雪：

这 3 个小女孩都 5 岁多了。这个年龄段的孩子，对同质的数量有感觉和概念，但转换成钱币，就抽象了一些，就有些模糊了。他们对一张一张的纸可以数清楚，转换成纸币，对写在纸币上的面值，这样的抽象数字就有难度了。这是一种关于数的新的挑战。所以，光靠说是没用的，孩子需要先使用感觉，从具体的实物开始操作、抓握、感觉，然后发现被转换的、在生活中出现的问题。

数在生活中总是会引起他们的兴趣。操作过后，对数学的应用的理解力会大大提高。

✻ 砂纸数字卡的拓印工作，通过拓印获得肌肉记忆，了解数字的书写顺序。这个工作帮助儿童为书写数字做准备。

身份确认

——开始崇拜某一偶像，积累未来成人时的人格特征。

我是霸王龙

亮亮和畅畅是一对好朋友，他们都到了身份确认的敏感期。

畅畅对着镜子说："这个地方是我们生命的来源！"

亮亮："我来杀你好吧？"

畅畅："你虽然能杀死我，可是我的灵魂照样存在！"

他们使用了许多动画片中的词语。

畅畅："我是钢希撒，你就必须从水族和火族中挑选一个！"

亮亮："你也当水族和火族中的嘛！"

畅畅："那好吧，我们都当水族和火族里的吧？我当水族，我的武器是长矛。"

亮亮："长矛是什么？"

畅畅："就是一种长枪。你是火族，你的武器是变形枪！"

亮亮："我当那个霸王龙呢！"

畅畅："那我就当三角龙吧！"

亮亮："我是霸王龙。变身，发射！"

畅畅（伸开双臂）："我是三角龙变身，噼—啪—"

他俩嘴里发出各种声音来配合身体的"变形"。

畅畅边说边模仿："你现在是站起来的，我是趴下来的，你想想霸王龙是怎样走的，就这样！而三角龙是这样的！"

畅畅（对着镜子）："你来个镜子变身吧！"

亮亮："镜子变身是什么？"

畅畅："你就变成机器人了，还戴着眼镜呢，特酷。"

亮亮："好吧。"

畅畅："这样吧！你当火焰龙吧，我当霸王龙，你就是我的大王。"

亮亮："我不当火焰龙，火焰龙不好。"

畅畅："他不坏，他只是有一个坏女儿，他还有影子呢！"

亮亮（疑惑的样子）："影子？"

畅畅："就是脚底下的影子嘛！那你当战士机器人吧！"

亮亮："特厉害的机器人吗？"

畅畅："他是一名战士。"

亮亮："那我能打败你吗？"

畅畅："我们俩的功夫差不多！"

就这样，他俩总是你扮演这样，他扮演那个，大约交谈了 20 分钟。

（丁红霞）

＊孙瑞雪：

在成人看来，童年是梦想的时代。但对于儿童来说，那梦想也就是真实。一个想当公主的女孩把自己打扮起来，走进教室；一个想当超人的男孩把自己全副武装起来，站在楼道里。这个过程不是成人意义上的游戏，是儿童在内化这些人物背后的人格特征，可能有公主的高贵、龙的力量，超人的神奇、机器人变化中的机动……这些在童年都会被孩子内化在自己的生命中，这正是自我创造的特征。过两三年，儿童也许不再把他的愿望付诸行动，愿望只是他的心理活动。然而无论怎样，他以他的方式和偶像交流。

这就是身份敏感期的内涵。

✻ 这段时间，佩佩最喜欢的就是把自己装扮成恐龙。

“超人”和我拍照

文 ◎ 孙瑞雪

两个月来，每天早晨一到学校，“超人”都会到一个僻静的地方去换“超人服”。“超人”换衣服是不能让他人看见的，这是一个人人都知道的规则。只是成人不明白，孩子们总是知道在这时候该如何尊重“超人”，因此偶尔途经也没有孩子转头去看，“超人”总能成功完成“秘密变身”的过程。而成人总会惊讶地去看或是忍不住转头去看，“超人”只好重来一次，确认没人看见，才算完成了“变身”过程。“超人”就在学习里走动着、玩耍着、生活着，从长凳上飞下，在院子里掠过，在小朋友中走动，从楼梯上轻盈飘下。一切都是自自然然的，是孩子生活的一部分。孩子们尊重“超人”，就像尊重公主、王子、蜘蛛侠。孩子们的生命就是这样细腻、高贵。

惊奇、询问的总是成人，引起大惊小怪的也是成人。成人是直接而粗糙的，并且每一个表现出惊讶的形式几乎都一模一样，日子一久，大概在“超人”的眼里成人就显得有些愚蠢。因此，“超人”就这件事对成人的反应是看不起的、拒绝的。

我见到“超人”几天后，才准备好和他接近。在院子里，我告诉了他我真实的想法：我非常崇拜“超人”，我也曾有过“超人”的梦想，而且我看到“超人”后非常的激动和兴奋。“超人”表示了对我的理解。我又提出了进一步的要求，如果他不拒绝，我是否能荣幸地和他照一张合影。他考虑了一下，同意了。他的神态让我明白，他是为了帮助我实现梦想。我迅速跑进办公室宣布：“超人”愿意和我合照。老师们也为此高兴起来。安老师迅速拿起照相机跑出去，“超人”用手制止我不要靠他太近，他郑重地站在那儿，我也谨慎地蹲在他的身边，就有了这张照片。后来，“超人”还要求再给他照一张“生活照”，就有了凳子上的“超人”。

当然，其他的几张就是偷拍了。

以后的日子里，“超人”的照片成了我和很多老师心灵愉快的慰藉物。此刻，我们愿意和您一起分享这份纯真、美好和成长的体验。

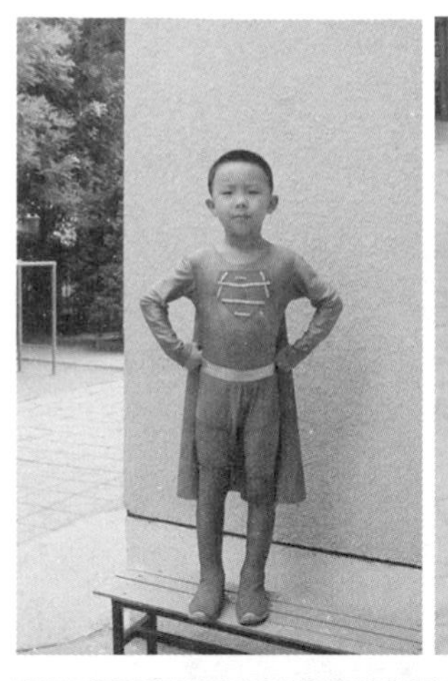
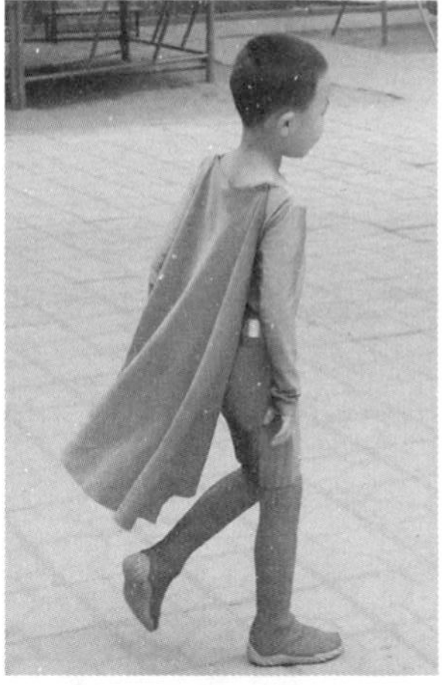
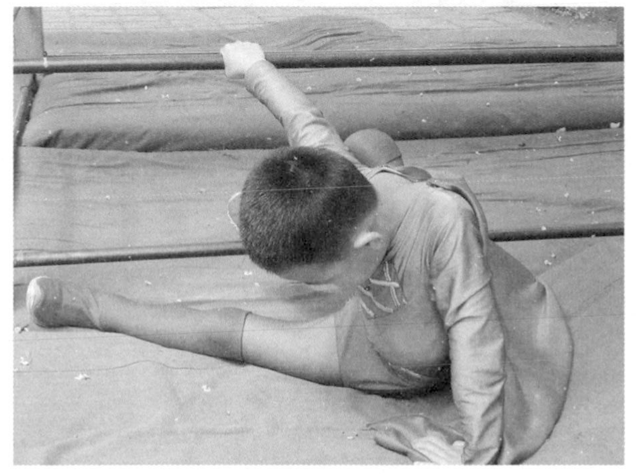

性别

——对性别以及对自身身体的认识基本来自于观察，如同认识眼、鼻、口一样，态度很客观。

区分男人和女人

儿子琪琪5岁2个月了。一天回家后，他认真地问我："妈妈，我发现我们班有的小朋友长了小鸡鸡，有的小朋友没有长，为什么？”我笑了起来。同其他孩子相比，他的这个敏感期似乎来得晚了点，因为他已经是5岁的孩子了。

我说：“这叫生殖器，是区分男人和女人的第一性别特征。”他站在那儿想了一会儿，转身走了。

但那天起，家里只要有人上卫生间他就尾随而入，要不站在旁边看，要不撅起屁股看。有一天，爸爸“嗷”地大叫一声从厕所跑出来，哭丧着脸说：“在家上厕所都不安全！”全家人大惊失色，一问才知道是儿子闯了进去。

有一天我在卫生间，儿子又跟进来了。我很生气地问儿子：“妈妈是女人还是男人？”他说：“女人！”我说：“你怎么知道？”他说：“看头发和衣服！”我说：“这就对了，不必看那儿也能知道男人和女人。”他愣了一下，恍然大悟，这个节目就此结束。

但儿子把认知方式转移了。他开始画汽车，画好后给每个司机都画一个小鸡鸡。老师问：“你为什么要画这个？”他非常惊讶地看着老师说：“因为他们是男的呀！”

一段时间后，儿子又奇怪地指着我的胸问：“妈妈，为什么我和爸爸都没长这个，而你、小姨、老师都长了？”

我说：“这叫乳房，是区分男女的第二性别特征。”

儿子问：“要它干什么用？”

我说：“哺乳。”

儿子说：“小姨根本没有孩子，她为什么也有？”

我说：“她必须为未来的孩子准备。”

儿子沉思了一会儿，接着问：“可是你已经哺完了，它为什么还不消失？”

我说：“它是自然存在的，没法消失。”

几天后外婆看他，嫌他太闹了，就说他：“等你有了自己的孩子，他也会闹你。”儿子听后哈哈大笑道：“外婆太愚蠢了，男人根本不能生孩子。”外婆吃惊地问：“为什么？”儿子说：“因为男人没有乳房呀！”

其后的半年时间里，儿子对女性的乳房非常感兴趣，常常热情地过去拉开老师的衣领，伸进手去摸，然后认真地说：“乳房！”搞得老师都很难堪。我告诉她们这举动不涉及性意识和所谓的道德感，孩子仅仅是在认识人体，请她们体谅。好在他生活在一个进行教育科学实践的学校里，老师们都非常配合。

半年后，儿子对人体的兴趣慢慢地消失了，又开始和同龄的表弟一起喜欢起小动物来。那段时间里，我家院子里到处都是虾、螃蟹、蟾蜍、小鸡、小鸭、蜗牛和别人已经丢弃的刚孵出的鹌鹑。他和表弟的零用钱几乎都用在了这些东西上，有时用2元钱买来3只螃蟹，有时一整个下午不见踪影，到了晚上，两个孩子满脸满身糊着泥巴回来了，一人手里提着一桶蟾蜍。

两个孩子喜欢动物的敏感期来了，这时他们5岁半。

（均瑶）

*孙瑞雪：

人体性别的敏感期是人体敏感期的组成部分。男人和女人的区别表现在很多方面：生殖器官、发型和衣服、嗓音和举止等。对同一个概念，比如性器官，儿童的理解和成人的理解显著不同。在大人眼里，这类概念包含着很多世俗的、道德的内容，而对孩子来说，他是在客观地认识世界。而这只不过是他众多认识对象中的一个，没有任何感情色彩。

5岁左右，几乎每个孩子都开始对自己的身体感兴趣，这是他们开始认识“人”了。这种早期的认识，使女孩子发现了女孩，男孩子发现了男孩，也让孩子第一次坦然地接纳自己，爱自己。

这种认识过后，儿童开始关注社会性的男女差别，这种关注从服饰开始。女孩关注自己的服饰，纷纷选择著名的女性作为自己的偶像：白雪公主、灰姑娘等。男孩对女性化的服装开始提出抗议，兴趣集中在社会性的活动中。

✻ 无论男孩还是女孩，都会在某一阶段对自己的身体产生好奇，想了解身体每一部分的名称。

这种认识的内容是：了解身体各部分的名称，这些部分有什么用途，有怎样的结构，自己的身体和别人的身体有哪些不同，有哪些相同，等等。

在孩子对某一事物敏感时，作为老师，应该利用这个机会告诉他准确的名称，形成初始的概念。这是概念形成的第一阶段。在名称中加进越来越多的内容，是概念的发展阶段。和孩子的相处中纠正和发展概念，力求对概念的理解逐步深刻和准确，是概念的完善阶段。

音乐

——儿童生来具有音乐品质。

暖气片当钢琴

女儿的音乐敏感期是在4岁时出现的。

那时候，每天去幼儿园接她时，她总是拉着我的手上二楼（琴房在二楼）：“妈妈我要弹钢琴。”有时一句话不说，拉着我的手就走。那段时间，我们常常是天黑透了才回家。

《麦克唐拉》《玛丽有只小绵羊》等一些简单的曲子就是那段时间学会的。家里当时没买钢琴，她就把老师的教科书借回家，把家里的暖气片当钢琴，摆上乐谱，煞有介事地边弹边唱，一弹就是几十分钟。

这种情况持续了近3个月。后来，她虽然不像那段时间那样天天要弹琴，但这为她以后的音乐学习打下了坚实的基础。

（刘瑛）

*孙瑞雪：

音乐的敏感期是螺旋发展的，4岁时发展到真正意义的音乐的敏感期。在这个敏感期中，儿童等待或寻找特别的音乐环境，跟音乐亲近，发展潜在的音乐天赋。

有一个好的音乐环境很不容易，这个环境包括音乐本身、音乐设备以及共同感受音乐的人。我们知道很多家长在逼着孩子练各种乐器，孩子对此无比痛苦。如果在音乐敏感期到来的时候，顺其自然地发掘孩子的音乐天赋，他们可能不用家长逼，自己就会去练。即使他们后来没有学什么乐器，但如果具备了良好的乐感和鉴赏力，比起那些把拉琴当成拉大锯的痛苦的孩子，他们对音乐的感觉也要好很多。

绘画

——儿童生来具有绘画品质。

画完了再睡

女儿柳依4岁半时，有一天我去学校接孩子，老师告诉我，柳依绘画的敏感期到了，在学校里什么课也不上，就愿意画画。我一听，赶忙到书店给孩子买了绘画的书，又买了专门教绘画的动画光盘。那天晚上，柳依从8点多开始，一边看光盘一边跟着画，一遍又一遍，不厌其烦。碰到不会的地方，她把片子倒回来重放。如果跟不上步骤，她会按暂停。

陪她到了11点，我催她睡觉，开始她不理我，后来跟我发脾气："你烦不烦！"我知道我打扰了她，又静静地守在一边等候。12点了，我实在熬不住了，跟她说："妈妈实在困了，我们睡吧，明天再画。"她说："妈妈，你先去睡，我画完了再睡。"

我只好自己去睡了。

夜里，当我习惯性地翻身为她盖被时，发现她没在。一看表，天哪，已是凌晨2点了！我想小家伙肯定倒在沙发上睡着了。起身去客厅一看，她仍然精神百倍地边看边画，桌上已经摆了厚厚的一摞画。我数了数，一共55张。

看我过来了，她把手里的画笔一扔，一头倒在我怀里。抱她去卧室的几步路上，她已呼呼大睡了。

（刘瑛）

＊孙瑞雪：

敏感期到来时，儿童都是不分时间、地点，一直做他感兴趣的事。从早晨做到晚上，甚至午饭也不去吃，有时持续许多天不出教室或不进教室。到了家，还会工作到深夜。老师或父母常常很矛盾，这样孩子的身体是否受得了？是否让孩子这样持续做下去？

我的观察是，儿童具有吸收性心智，儿童的学习热情和毅力是惊人的。这种热情和毅力与生俱来，不用人教，不用夸赞和奖励，不用培养和锻炼，但要加以保护。事实上，在大多数情况下，正是我们成人，我们这些希望儿童热爱学习的成人，用我们旧有的所谓经验和想法，把这样的品质破坏了。

符号

——孩子对识字、拼读、认识符号等感兴趣。

积　累

2000 年 3 月至 7 月，我在北京的幼儿园工作。给孩子们上主题课时，我把当天阅读的故事名称、主题都写在黑板上，做相应的项目时，就用手指着黑板上的字，边指边读，重复 3 遍，这样孩子们就有了多次认读汉字的机会。

平时给孩子读书时，我也是用手指着字，逐字逐句读。分享零食时，也会给孩子们指读包装袋上的字。很快，班里的几个大孩子：5 岁多的刘思雨、4 岁多的邱雨桐和张一然越来越爱看书了，她们 3 个人常常围坐在书架旁，一本接一本地看，最后把注意力集中在 3 本儿歌书——《快乐的一天》《快乐的一年》《快乐的一生》上，遇到不会的字就来问老师。到后来，3 本书的内容她们都可以背下来，指其中一个字、一句话，都能认读。

3 个女孩有时也会看别的书，但她们最喜欢的还是《快乐的一生》：“哇，哇，哇，有个女孩落地了，她的名字叫玲玲……”这本书她们能读 1 个小时。后来我特意了解了一下，她们 3 人还认识全班小朋友的名字，认识很多食品的名称。这段时间，他们的家长问过我，幼儿园是不是开始教孩子认字了。

（马钟玉）

＊孙瑞雪：

那段时间，老有家长来学校问我们：“你们是不是在教孩子认字？怎么电视上的字孩子都认得呀？孩子甚至能读出电视剧片尾那一长串的演员名字。”我们也感到惊奇，没想到不知不觉中，孩子竟认识了那么多字。

我们采用了和生活结合的识字方法。为了使文字紧密结合于生活，我们在家具、电器、学习用品、生活用品上写上它们的名称。街上，很多单位和部门的门口本来就有名称，商店的商品也有名称。这样，当孩子识字的敏感期到来时，他们不知不觉地就学会了很多字和词，甚至达1000多字，而且这些字和词从一开始就是在生活中掌握的，是从感觉发展到概念的结果。

“有准备的环境”，是蒙特梭利教学理论的经典用语，是儿童发展中的条件。儿童把文字和语音与它指称的对象在自己的生活中联系起来，使文字在儿童那里获得了它本来的意义。

识　字

乔乔6岁，开始对符号、文字感兴趣了。

午休，乔乔起晚了，我叫醒他，陪他在教室里，他看见了一本涂色书，指着说：“这是什么豆奇呀……”“魔豆传奇。”我说。他又把书翻到封底，上面有好多同系列书的书名。“这是什么?”他问。“精灵与唐老鸭。”我说。“大——头——儿——子!”他指着其中一行汉字说。“嗯，对!”我肯定地说。“哎，怎么还有新——大——头——儿——子!”他又指着一行字说。“是的。”“这是铁——×——小宝!”他指着另一行字说。“铁甲小宝。”我补充道。“噢，我和我哥哥看过了。”他想了想说。

“这个大——闹——天——宫，是那个西——游——记里的故事吗，是一起的呀!”他惊讶地说。

“是里面的一个故事。”

“猫——和——老——鼠?”他读着。

“是的。”

“七——×——珠是什么?”他问。

“七——龙——珠是一个动画片，我看过，你有看过吗?”我问。

“没有。”

“唉，还有恐——龙，变——形——金——刚呢!”他又说。

“是有的。”

课间，乐乐（渠畅）让我帮他写汉字，彭奕乔站在一边看着老师：“你在旁边给我写一个‘云’。”乐乐指着作品上的空白说。

“是写‘云’吗？”我问。

“嗯，这是怪兽星云。”乐乐重复。

“老师，他的那个是怪兽吗？”彭奕乔问（因为乐乐自己写的距离比较开）。

“是正确的，只是汉字距离太开了。”我告诉他。

“本来这样，他却拉得这么开。”他用手比画着。

“他在学习书写，所以暂时不会控制写在一块儿。”我解释说。

“那，他那个‘兽’字写得对吗？”彭奕乔又问。

“上半部分是对的，下半部分写错了。”我看着他说。

“噢。”他想了想又看了看我，“老师，你再给我写一个‘云’字在这儿。”渠畅指着作品说。

“老师，这是什么？”彭奕乔指着作品上的一组字问我。

“G－U－T－S，GUTS。”我重复。

“是鸡－U－T－S。”渠畅、王安东说。

“是 G－U－T－S。”我又重复，这是正确的英文字母发音。

“是鸡－U－T－S，胜利队标志。”王安东说。

一天数学课后，彭奕乔和渠畅在擦黑板上的字。“哈哈……”彭奕乔不停地笑，我看了看才发现他把“王安东”的“王”擦成“土”。

“呵呵，嘿嘿，土安东！”彭奕乔笑着指向黑板。一会儿，他又不断地笑指向黑板，“第二节课工作”（他把“二”擦成了“一”）他又笑着指给其他孩子看。

彭奕乔对汉字符号的敏感期持续进行并发展着。

（刘燕）

拼读的敏感期

这天，乐乐坐在我的自行车后座问：“妈妈，你知道黄色怎么拼吗？”我随口问：“你会拼吗？”“我会，你听着：h－ang，黄；sè，色；黄色。你再说一个我来拼。”“好的，蓝色。”“lán，蓝；sè，色；蓝色。”“bái，白；sè 色，白色……”我们就这样边拼边骑车到家。

"乐乐，你们在学拼读吗?"我问。

"没有。"乐乐回答。

"那你怎么会拼，太厉害了吧!"

"因为我们学水果的拼音了，所以我就知道其他的怎么拼了。"

接下来的几天里，乐乐不管干什么或见到什么都会用拼音拼读。吃饭在拼，走路在拼，穿鞋在拼，有机会就考我或让我说他来拼，总之一切用拼音代替。虽然刚开始拼读不正确，会出现类似"h－ang，黄"的现象，但没用几天，他拼读的准确率就从80%上升到99%，而且从拼读词语到拼读短句都没有问题。

在孩子的这个敏感期，他接收相关信息的速度是惊人的。如果我们能自己配合他顺利地度过每一个敏感期，那么我们还担心什么呢?

（党小琴）

*孙瑞雪：

儿童进入5岁左右，文字、符号（拼音）、涂色、数学逻辑、阅读等各方面都进入了一个迅速发展的敏感期。

这里要特别说一说全国图书市场中的拼音挂图。儿童时期的记忆力大概是一生中最好的记忆力，对儿童来说，符号就是符号，无须通过联想辅助记忆。这就像正常行走的人无须拐杖。拼音挂图上，"o"旁边画一个大公鸡，"n"旁边画一个"塔"，"ang"旁边是一个解放军。很可能出现这样的情景：给孩子指"ang"，孩子先是说"解"，又说"放"，最后孩子十分肯定地说："军!"凡用这种方法学过拼音的孩子，看到拼音时肯定首先回忆那些图画。

在我们学校里，只有孩子的敏感期到来时才进行相关内容的学习，并且一定用科学的方法进行。因为孩子不仅要学到知识，更重要的是要学到掌握知识的方法。

在根深蒂固的以考试为本的教育体系中，孩子为了在考场上证明自己而学习，但对正常的、快乐的儿童来说，学习是他们自发的兴趣，不是苦役。

不要让孩子在不适合的年龄认字

文◎孙瑞雪

我们需要从两个方面来讨论这个问题。

一个是，儿童生命成长的法则究竟是什么？

另一个是，我们为什么要让孩子早早认字？

我们先谈第一个问题。0～6岁的儿童，必须在6年中，学会把握这个物质世界的基本秘密，创造一个自我。

这看起来像一个哲学问题，但它表现在孩子生活的点点滴滴，孩子的每一个行为和感觉上。

首先是孩子把自己和这个世界分离开。孩子出生时，和这个世界浑然一体，和自己也浑然一体，儿童必须借助于外在的环境，依靠生命内在的觉醒，逐渐地把自己和这个物质的世界剥离开，把自我的一切剥离出来。例如，儿童所看见的，认为和自己是一体的，触摸到的，也认为和自己是一体的，儿童甚至不能区分自己身体中各种功能的作用。所以儿童要用6年的时间或者更确定地说是7年的时间，依靠感觉，把自己和这个世界剥离开，把这个物质的世界中的此物和彼物剥离开，并且，建立自己与自己的关系，自己与别人之间的关系，物与物之间的关系以及自己与物之间的关系。这些是生命成长的自然法则所预定好的，谁不遵守这个法则，就要承担不遵守自然法则而导致的代价。

其次，儿童必须在这6年中，创造出一个自主的内在管理系统，这个系统就是自我。儿童2岁时，自我意识开始出现，儿童以占有“我的”物质开始，到用语言说“不”来剥离“我”和我之外的不同，最终到区分出了“我”“你”“他”，然后逐渐将这个自我创造了出来，建立了情绪的、感觉的、心理的、认知的、精神的内在环境，造就了一个在意识上独立自主的自我……这一部分，对于人这种生命体来说，实在是太重要了，如果在0～7岁前不能建立，人就会沦丧在更低的生命层面求生存，这就是生命成长的法则，也是儿童在0～7岁的最重要的使命。这一点，被人们长久地忽略着。

你认为这样一个生命的巨大工程，对于一个弱小的生命而言，还不够艰巨吗？

文字，是这个物质世界的符号，即使儿童到了5岁时有了认字的愿望，也是把它作为和物质一样的存在，是一个符号，一个绘画，一个涂鸦……既而他们又会发现，这个符号原来与可触摸的东西，是可以配对的，这个配对会给孩子带来欣喜。

如果是自然状态，你不会看到有哪一个孩子，会把文字当成成人认为的那种文字的意义来学习。这正是这个时期儿童生命的特征。所以，如果说5岁有一个认字和书写的敏感期，它也意味着就像孩子认识这个物质世界的其他东西一样，是一个自然的过程，而不能够把孩子用文字局限在脱离现实的书本世界里。因为儿童这个时候成长的是生命，建构和创造的是自我，而不是用这么珍贵的时间，来学习一种技能。

我们的第二个问题是，我们让孩子认字的敏感期自然发生，还是要提前并强化认字？我们非要把小学的东西下放到幼儿园，把中学的东西下放到小学？

我们要问的是，我们基于什么样的动机这样做？是基于恐惧？是基于对未来的担忧？是基于跟随潮流？还是基于把生存问题提前压到了孩子的身上？

当我们能够清楚地知道我们这样做的动机时，答案自然就出来了，我们要不要这样做，也自然知道了。

也可能我们需要问一下，我们对孩子的了解有多少？对人的这种生命的成长的过程了解多少？我们还要问一下，我们怎样做对我们的孩子更有帮助、更有支持？将来，在他18岁走向社会的时候，他究竟是依靠什么在这个社会上生存，并创造自己的生活？是依靠强大的人格力量和心理力量，还是依靠提前学会的技能？

更重要的是，我们需要知道，通过创造自我建立强大的人格力量和心理力量，是0~6岁成长的主旋律。错过了这个时期，也许这一辈子都无法弥补。而孩子自然发展到该学习与认字的阶段，儿童会轻松愉悦地学得更好。如果错位，我们会付出捡了芝麻丢了西瓜的代价。

❀ 分享成长：

谁的派多

今天早上，4岁的优优拿了一个蛋黄派来幼儿园。4岁的纳宽看见了，问他：“优优，可不可以分享给我？”

“嗯。”优优表示可以。

“可不可以多给我一点儿？”纳宽接着问。

“不行。”优优反对。

“你多给我一点儿，我先吃，你后吃，这样你的就比我的多了。是不是呀，优优。”纳宽劝说着。

优优看着纳宽："好的。"掰了一大块给纳宽，看着纳宽吃。

坐在一旁的星星说："不是的，优优，你的少，纳宽的比你多！"

纳宽有些着急："可是我先吃的呀！这样最后优优的就比我多呀！"

纳宽大大吃了一口，让优优看：确实小了！纳宽大口大口地吃着，过了一会儿对优优说："优优你现在也吃吧，你已经比我多了。"

优优很高兴地说："我的比你多。"说完，便开始吃他那块"多"的蛋黄派了。

（佚名）

＊孙瑞雪：

也许纳宽并不是在哄骗优优，他就是那样想的。而优优也真是那样理解的。

他们都开始使用思维和推定了。儿童推定时可能只以眼前看到的为准，这是思维开始启动时的现象，非常有趣。并且，儿童开始通过语言解决问题了。

能按照大人的思路理解这一切吗？谁的大谁的小？谁吃亏了谁占便宜了？谁傻谁奸？

专　注

下午，4 岁半的凡凡跪在泳梯下玩沙子。他一手拿着袋子，一手抓起一把沙子装进去，当袋子里装满沙子，他就倒掉重新装。

佳岱跑过来趴到泳梯栏杆上，对凡凡说："哎，请你离开，请你离开！"凡凡抬头看看他，又接着装沙子。佳岱不耐烦地冲他喊："请离开，请……"还没喊完，佳岱忽然跳了下来，也开始装沙子："来，我们做蛋糕！"玩了几分钟，佳岱扔下袋子又去别处了。

过了 10 分钟，阿朱来了。他也对凡凡说："请你离开，请你离开！"凡凡只是看看他，再看看远处的我，又低头继续装沙子。阿朱继续对他说："请你离开……老师，他不离开！"阿朱边说边向我求助。

我过去抱起凡凡，把他轻轻挪开了一些，他并没有因我的举动而受到打扰，仍是继续装沙子。

佳岱又来了。他上去，玩了一会儿泳梯，然后跪在凡凡旁，和凡凡一起装起了沙子。凡凡没搭理佳岱，过了一会儿，佳岱没趣地走了。佳岱的离开也没引起凡凡的注意，他依然继续工作着。

随后，又过来了一个小女孩。那小女孩也在旁边玩起沙子，不知何时，她脱下了凡凡的一只鞋，举起那只鞋，倒出一些沙子。沙子撒在凡凡的脸上、衣服上，她立刻用手拍拍凡凡的脸和衣服。凡凡只是向远处张望了一下，压根儿没受到打扰。

凡凡整整工作了30分钟。我离开的时候，他还在那儿专注地装着沙子。

（丁红霞）

＊孙瑞雪：

每个孩子都有玩沙的敏感期。玩沙虽然简单，但意义绝不寻常。

专注和充分工作是完整度过敏感期的前提。儿童从对事物的专注中整理和发展自己。如果儿童生活在自由的环境中，拥有选择的权利，专注的品质自然就会形成了。这就是自由的意义。

受伤的胳膊

4岁半的乔森举着胳膊叫我："老师！我的胳膊破了。"我紧张地跑过去一看，他的胳膊伤了点表皮。对于我这个学医的人来说，这根本不算是伤口，但我知道这对孩子来说可是件大事。我要带他去敷药，但他挣脱了我的手："我要上楼告诉王老师我的胳膊破了。"我劝他先敷药，他根本不理我，转身走了。

乔森一路举着胳膊见老师就喊："老师，你看我的胳膊破了！"这时他们的海老师过来了，我问海老师："乔森怎么回事？胳膊破了，来告诉我，又不让我敷药。好像要让所有人知道他胳膊破了。"海老师笑笑对我说："他缺乏关注，想让每个人都知道，他会回来敷药的。"果然，过了一会儿，乔森又举着胳膊来了。敷完药，我想帮他放下袖子，他坚持不让放，就要露着受伤的胳膊。

下午在大厅里又看见了乔森，他仍然露着受伤的胳膊。我走过去，还没等我开口，他就举起自己的胳膊："老师，你看我的胳膊破了。"

就这样乔森露了一整天胳膊，逢人就说他胳膊破了，直到他妈妈来接他，这才当着妈妈的面，恋恋不舍地放下了袖子。

（王灵雪）

＊孙瑞雪：

儿童会利用或有意制造一些特别的情景以便获得别人关注。对乔森来说，是不是别人的关注和安慰满足不了他，他才举了一整天的胳膊？或者说为了引起妈妈的安慰和关注，才举了一整天的胳膊？

成人也有这个特点，想要引起谁的关注，就会在谁的面前有特别表现。看什么人在孩子心中占据重要地位呢？肯定是父母、老师。通过看父母、老师对待自己的态度，孩子判断自己在他们心中的分量。

孩子的心灵太细腻了

成人粗糙的感情有时很难体会孩子细腻的心灵。在与孩子一起相处的日子里，我深深地体会到了这一点。

那天下午，小朋友上完手工课后都出去玩了。我手头有很多琐碎事要做，正打算先清洗盛胶水的两个小碟子时，4 岁的茜茜跑了进来。

我问她："请你帮我清洗一下碟子好吗？"

茜茜点点头："可以。"拿着碟子欣然去洗。

大约 10 分钟后，茜茜喊道："老师，我洗完碟子了。"当时我正在洗地毯，只抬头答了一句："谢谢你。"接着又埋头干我的活。

过了大约半个多小时，我吸完了地毯的尘埃。猛然抬头时，发现茜茜居然还站在那里，手里还拿着那两个碟子，非常安静地等着我。我惊呆了——我以为她早已走了！我激动得不知说什么好，抱着她狠狠亲了一下，把小碟子接了过来。

后来的几天，我常常问自己："她为什么安静地等这么长时间，她在等什么？"

（佚名）

＊孙瑞雪：

茜茜在等着老师接过她洗完的碟子，向她说"谢谢"。茜茜在看老师专注地吸尘，心中充满了爱意，不去打扰老师。茜茜感受着为老师工作和工作成果的愉快，在老师安静、专注的工作中感受着生活。的确，孩子的心灵是细腻的，只有当我们尽可能细腻起来的时候，才有机会感受到孩子细腻美妙的情感的溪流。

压力和动力

一凡 5 岁了。一天，他爸爸问孩子的情况，我说孩子精神状态很好，就是拒绝进教室。我问他爸爸是不是在家给孩子压力了，使孩子对吸收知识有了恐惧感。

一凡爸爸说："每天他回家，我问他两件事，一件是他今天吃什么饭，一件是今天上什么课了。周六、周日我让他每天写2小时的字，也让他看看书、打打电脑。我觉得这样对孩子有好处，否则他以后怎么上学呢？"

我说："事实上孩子天生就有吸收知识的本能，只有精神放松了，他才会对认识事物有兴趣。"

他爸爸坚持道："哎，那可不行，我觉得只有给他一定的压力，才会有学习的动力。"

临走时，这个爸爸特意嘱咐我："麻烦老师给盯紧点儿，一定要让他进教室上课。"

第二天，一凡刚从教室出来，我就热情地迎了上去："一凡，咱们一起去工作吧！""老师，我想去喝水，喝完水再来。"这一去就不见踪影。

有一次我听见他对张朔说："咱们出去玩吧，一工作就没有玩的时间了！"

还有一天，班里的孩子都在教室工作，只有他一个人孤独地在教室门口徘徊，因为他不想工作，而又没有人陪他一块玩。

（文文）

*孙瑞雪：

让孩子在他内在精神胚胎的指引下，选择一条他自己的发展之路，结果会比我们想象得好。但成人不了解孩子，不给孩子这个自我发展的机会，或者即使明白这个道理，也不敢"冒险"让孩子自我成长。成人难以想象一个自由中的儿童到底是怎么样的，因为成人得到的自由很少。

学习是人的天性，婴儿从出生那天就开始学习了。学习认识和母体不同的空间、声音、光线、物体的形状……使尽浑身解数去听、看、触、嗅……而成人认为儿童必须靠管、打、骂才会学习，因为很多孩子不喜欢学习。我们为什么不自问，从天生喜欢学习到什么都不爱学，是什么让一个孩子成了这样？

学习的方式、知识的难度，都必须和孩子生命的成长阶段、认知状态以及每个孩子的兴趣相吻合。我们普遍存在的问题是：让孩子学习他年龄不能承受的东西；用成人的学习方法和强制手段给孩子灌输知识……

到底是谁的

伦伦和雨荷都5岁了。

一天，我正和伦伦坐在桌边聊天，雨荷从身边走了过去，伦伦忽然指着雨荷手里的东西大声说："那是我的，老师那真是我的！"雨荷停住了脚步辩解道："不是，是雨桐的，雨桐送给我的。"伦伦坚持道："不是！是我的，是我妈妈给我买的！"

雨荷也着急起来："不对！我知道你又想要别人的东西。"我坐在旁边始终没吭声。伦伦急忙跟我解释："老师，不信你看。"说着拿出一个玩具。"那个能安在这儿，就是我妈妈给我一起买的。"

雨荷依然不相信："那我先去问问雨桐。"她走了过去，跟雨桐说了些什么。不一会儿，她和雨桐都走了过来，雨桐说："我并不知道是谁的，我在我抽屉里发现的，就把它送给雨荷了。"伦伦接着她的话说："不是的，是我那次不想要了，就把它随便扔到你的抽屉里了。""那你就是送给她了，是她的东西她有权利处理。"雨荷评论道。"没有，我随便扔进去的，没有送给她，我最后还想要，但是我忘了。"伦伦辩解着。我对伦伦说："伦伦，这说明你没有保管好自己的东西，你不想要一个东西时要做出正确的处理，不能随手就扔进别人的抽屉，明白吗？"伦伦重重地点点头。雨荷也把东西还给了伦伦。

（丁红霞）

＊孙瑞雪：

物品的所有权怎样明确、怎样取得、怎样转移，是人类社会的基本问题之一，自然也是孩子们要面对的基本问题。我们千万不要小看这个问题。

人需要依赖物品而生存，儿童需要依赖物品而发展。获赠、交换是儿童取得物品所有权的主要方式。

第 6 章

5 岁 ~6 岁

婚姻——5 岁以后选择伙伴的倾向性非常明显。

书写——对符号、书写文字符号产生兴趣。

数学逻辑——对数的序列、概念和概念之间的关系产生兴趣。

社会性兴趣——开始积极了解自己和他人的基本权利，喜欢遵守和共同建立规则，形成合作意识。

动植物、实验、收集——开始热烈地吸收一切来自自然界的知识。

延续交往的敏感期——结束一对一的交往，进入三四人一组的交往。

婚姻

——5 岁以后选择伙伴的倾向性非常明显。

讨论和谁结婚

（一）

每星期一早晨都有一节戏剧课。我们的戏剧课都是在真实的场景中上的。今天也不例外。

坐在去机场的车上，几个 5 岁半的孩子热烈地谈论将来谁和谁结婚的问题。裕裕跪在座位上问后面的博文："博文，你长大后是和我结婚还是和修仪结婚，你可想好了！"

旁边的修仪听了裕裕的话，偷偷地抿着嘴笑。

博文沉吟了片刻："我和修仪结婚！"

听了博文的话，裕裕一下子跌坐在座位上，失落得一言不发。

靠窗坐的马百泽立刻趴在裕裕耳边说："裕裕，长大以后我和你结婚！"

已经沉寂的裕裕似乎一下子抓到了一根救命稻草，站起来大声对着小朋友们说："马百泽说了，长大以后他和我结婚！"

（二）

课间休息时我和陈老师聊天。

正在画画的修仪突然转过头来，盯着陈老师微微隆起的腹部看了一会儿，然后问："陈老师，你有男朋友吗？"

"我没有男朋友。"

"噢，那你得赶快找一个男朋友和他结婚！"

"为什么呀？"

"让他做你宝宝的爸爸呀！要不然你的小宝宝就没有爸爸了！"

陈老师惊讶地看着修仪："可是我有老公呀！我的老公就是我小宝宝的爸爸。"

“噢，原来这样的！”

修仪想了一会儿，又低下头画她的画了。

（段武宽）

*孙瑞雪：

儿童要得到准确的结婚概念，看来需要在生活中经过多次讨论，并在真实的场合使用这个词。这也是儿童得到其他概念的途径。

我们结婚吧

一个阳光明媚的中午，我睡着了，突然传来一阵嘈杂声。睁开眼看看表，离起床还有一段时间。环顾四周，发现一大群孩子正围在吕楠和余楠的床边，高声谈论着。我连忙用被子蒙住头，仔细听他们谈论。

这是一群6岁孩子的对话。

余楠：“吕楠，我们结婚吧？”

吕楠：“好的，什么时候？”

余楠：“你说吧！”

吕楠：“夏天吧！我喜欢夏天！”

余楠：“夏天太热了，我们在春天结婚。在春天最热的那天结婚。你穿上薄薄的婚纱，这样你就是世界上最美的新娘。我呢，穿上西装，打上领带，我就是世界上最英俊的新郎！好吗？”

停顿了片刻。

“好的！”终于听到了吕楠的声音。

余楠开始哼唱门德尔松的《婚礼进行曲》。其他孩子嗷嗷叫着：“噢，噢，吕楠和余楠要结婚了！”

我再也忍不住了，坐起身来哈哈大笑。孩子们惊诧地看着我，我笑得更厉害了。余楠问我：“段老师，你为什么要笑？是不是做了一个可笑的梦？”我忍住笑忙回答：“对，段老师做了一个很可笑的梦。”

下午的课结束了，我出了大厅，看见吕楠挽着余楠向这边走来。两个人俨然是一对情侣，似乎还陶醉在“结婚”的梦里，脸上带着明媚的笑容，不时低声说着什么，旁若无人，似乎身边的一切都不复存在，都与他们无关。

（段武宽）

＊孙瑞雪：

有一次晚上开完会，小学的几个孩子还未回家，其中两个在大厅里快乐地玩耍，一个孤独地坐在远处沉思。我问10岁的孤独者："你为什么不去和他们一起玩？"10岁的孤独者看着我说："他需要和他一起玩，而我没有这种需要。"一瞬间我语塞，不知如何回答。

回家的路上，我开始思考他的成长背景（我了解1～5年级每个孩子的成长经历和家庭背景）。孩子们从4岁起就开始喜欢别人，一次又一次的失败，所喜欢的人又喜欢上了别人，孩子们学会在痛苦中处理这些事情，学会在处事中认清自己的需要、理解别人的需要。在反反复复中，孩子们成长起来。

我一直都爱着你

吃午饭时，孩子们安静而有序地排着队等候。

这时，昊昊指了指范嘉欣的桌子小声地对家熠说："我喜欢的人没来。"

排在前面的然然回过头，对家熠说："家熠，我一直都爱着你。"家熠一听，马上着急地对然然说："我可不喜欢你这种类型的，我喜欢范嘉欣那种类型的。"然然疑惑地看了看他，转过了身。家熠还在自言自语："你这种性格我才不喜欢呢，像家羽那样还可以，像范嘉欣就最好。"一会儿，然然又回过头："可我一直都爱着你。"家熠将音量提高了一点："我喜欢范嘉欣，不喜欢你。"然然无奈地又转过了身。

这时，刚洗完手的子霄走进来，轻轻地亲了一下然然，然后去排队。排在队伍里的王萧杨说："子霄，你是不是一直都爱着然然？"子霄肯定地点点头："对呀，而且我还要和她结婚呢。"然然笑着捂着眼睛："我的妈呀，我可不想和你结婚，因为我一直爱的都是家熠。"子霄忙说："那你让我跟你一起玩，好吗？"然然点头同意。家熠则耸了耸肩："我将来可要和范嘉欣结婚的。"

5～6岁所经历着的婚姻敏感期使孩子进一步了解到婚姻的意义并奠定将来婚姻的态度及观念。

（王春霞）

＊孙瑞雪：

每个儿童都要经历异性朋友的敏感期，就好像童年在为未来的成人做准备，童年建立了婚姻的概念和理念。

有次我问一对5岁的小伙伴："为什么要结婚呢?"他们严肃地回答："不结婚会孤独的!"孩子如果能顺利度过这个敏感期，到了小学、中学阶段，他们对这些问题的看法就会理性、客观、包容。但是，如果没有这个基础，等孩子青春期到来时，因为生理的原因再去面对这个问题，他们的心智可能已经变得有点混乱了。

对儿童来说，异性朋友的敏感期是纯心理和精神性的。它使儿童变得向上、助人、自爱、自觉，使儿童经历快乐和痛苦，使儿童的心理意识和社会意识"上个台阶"。

幼儿的心思也能猜

6岁的小女孩珈珈一直和年龄相仿的小男孩沛丰、小女孩嘉宝是好朋友。3个人中，嘉宝最有感召力，她总有新鲜的玩意儿和新鲜的玩法，不少小朋友都愿意跟着她玩。

5月中旬的一段时间，珈珈的情绪糟透了，每天来园都要莫名其妙地哭闹，吵着要回家找妈妈。起先我有点纳闷：她一直很自律呀。几次之后，我抱起她，问她心里是不是有什么事，刚开始她什么也不肯说。我根据平时的观察，问她是不是和沛丰发生了矛盾。她点点头，轻轻抽泣起来，看上去非常伤心。她说，沛丰和嘉宝好，并当着嘉宝的面对她大吼。珈珈边说边哭，难过极了。我知道那是种什么滋味，一种无法承受的打击。珈珈"爱上"沛丰了。

平时我就发现，珈珈很在乎沛丰对嘉宝的态度，总在比较他对谁更好一些。哭完以后，她对我说再也不理沛丰了，而此时沛丰就在身边。两个人一起哭了起来。我知道，虽然年龄这么小，他们已经要面对感情无法分享这个事实。

自那天后，珈珈每天来园后总是跟着我，要我抱她。早晨来第一句话就是"不跟沛丰玩"。但他俩又常常同时偎在我身上。有几天嘉宝没来幼儿园，他俩又像往常一样在一起玩，似乎忘记了彼此间的不愉快。

珈珈的内心细腻而敏感，我想这次经历会使她成长起来，而我能做的，便是抱着她，倾听她，分担她敏感而纯真的情感波折。

（史红霞）

*孙瑞雪：

就我们的观察，此时儿童之间的感情已超出了友情的界限，它已接近成人的爱恋。

当别人分享我们所爱之人的爱时，我们很难像分享食物那样一起分享和拥有。这大概是成人世界最痛苦的事，复杂而纠葛，一个人如果反复失恋几次，他的自信心剩不下多少了。

儿童不同的是：痛苦而坦然，深入而不纠葛，伤心而不自贬。而实际生活中，一个人爱上你和一个人不爱你，不是自己能决定的。到18岁再理解这一问题就晚了。婚姻和相爱的敏感期发生在童年，孩子们自然产生这种情感，也能承受其中的复杂内容，我发现，六七岁的孩子就能比较客观、理智地处理这种关系了。

书写

——对符号、书写文字符号产生兴趣。

书写

铭铭最近两个星期开始对书写笔画感兴趣。

刚开始两天，我看见他一个人对着笔顺挂图进行触摸，按照笔顺用手指在挂图上书写，神态专注，能够持续20分钟左右。韦云升手里拿着自己粘贴好的五颜六色的风筝走到家铭跟前，邀请他一起去玩，他也只是看了一眼，又继续自己的工作。当韦云升再次邀请他时，他对韦云升说："请你离开，你打扰到我了。"在平时，韦云升的这个游戏可是张家铭的最爱。

接下来的几天，铭铭开始拿来铅笔和白纸，趴在挂图前的桌子上，专注地一笔一画地在白纸上进行书写。这样的情形，每天都要持续3~4次，每次他都会专注工作20~30分钟，经常是所有的孩子都下楼去玩了，他一个人还在教室里写。而且，对于语文课的书写练习，极为感兴趣，在完成了老师的课堂作业后，自己还会重新再写满一张纸。

张家铭书写的敏感期到来了。

（周静）

*孙瑞雪：

书写的敏感期到来时，书写就像从孩子的生命深处走出来一样，深深吸引着孩子，不断促使孩子高度专注和持续不断地写。写，变成了生活和乐趣，写如同孩子去放风筝一样自发和快乐。这就是敏感期的作用，把学习当做生活。

我相信人类所有智性的活动，一定储存在人的集体遗传基因里，在人成长的过程中，在合适的时间，它们会一部分一部分地显现出来，成为孩子对自己的发现和兴趣。这种来自生命内在的动力，比外在的强制要有效和有趣得多。强制实在是愚蠢的办法。

数学逻辑

——对数的序列、概念和概念之间的关系产生兴趣。

乐乐的数学感觉

乐乐2岁8个月的时候，一天，他从教室出来已经是洗手吃饭时间了，我答应他说："你玩一会儿。"我指着大厅的表说："长针指到6你就去吃饭吧！"他拉着我的手指着表上的数字开始数："1、2、3、4、5、6，就是那个6吧。"我说："是，快玩吧，要不到时间了。"可是他转身跑了没几步就又跑回来指着表说："6一会儿走到那儿就是9。"

平时给他读完故事时，他开始特别注意页码，他会指着下面的页码说："这是××吧。"他甚至会将页码先看完才阅读故事，每读完一页又读一次页码。

吃完饭，乐乐盯着班里孩子归位的餐盘数："1、2、3……12。"数完后才满意地离开。

上下楼梯时，我们手拉着手走一个台阶数一个，直到将全部楼梯数完。

乐乐对门牌号同样有兴趣。他对着我们家的门牌号看了几秒钟后说："5啥2?"我回答："502！"他重复说："502！"然后若有所思地看了几秒钟，又念叨："502。"第二天他一上楼就指着门牌号说："502。"然后又看了邻居家的门牌号说："501、502、503。"从那天开始，他一连几天进门都要在楼道里跑一圈，读完4家的门牌号才肯进家门。后来两天，他又对楼下的门牌号也有了兴趣，他数完"501、502、503、504"后说要看下面的，然后拉着我的手下了楼。等他读完"401、402、403、404"后停顿了一会儿说："奇怪，有点像。"我插嘴说："就是特别像，只有最前面的数字不同。几楼前就是几。5楼是501、502、503、504，4楼是401、402、403、404。""那3楼呢?"乐乐问道。"301、302、303、304。"他半信半疑地说："那我们去看看。"我们又到了3楼看了看。他验证后说："真的。"他又读完3楼的号，再读4楼的，读完4楼的读5楼的，这才心满意足地进了家门。

3岁3个月的乐乐，又特别喜欢数字推理活动。

走在路上，乐乐说："妈妈，星期一过了是星期二，星期二过了是星期三……星期天过了是星期一……"他会一直往下推理。

在楼下，等待我锁车子的时候，乐乐抬头看着楼上问："妈妈，哪个是咱们家?""就是窗户打开的那家。""那旁边呢?""旁边是咱们的邻居501、503。"我回答。"那下面就是401和403，3楼是301和303。"他不失时机地推理着。

在卫生间，乐乐听到6楼下水道的声音问："这是什么声音?"我回答："是6楼下水道的水往下流的声音。""6楼下水道的水流到了5楼，5楼流到4楼，4楼流到3楼，3楼流到2楼，2楼流到1楼。"他停顿了一会儿，"那1楼呢?"我回答："流到地下。""哦!"他沉思了一会儿，又将刚才的推理重复了两遍。后来每次进卫生间只要听到下水道的声音他就会推理一遍。

（党小琴　乐乐妈妈）

* 孙瑞雪：

文中的例子是儿童逻辑思维发展的表现。开始能推理，加上以往对数字的经验，就能够更好地对数关系进行推理了。

在有些给大家提供的例子上，似乎敏感期并没有遵从我们观察到的普遍现象，而是超出了孩子所在的年龄。我们不排除个别孩子敏感期的提前发展，但是我更喜欢了解孩子成长的过程。

几百万个天和零个天

小欧5岁，红牛也5岁。小欧举着一块小石头问红牛："这块石头有没有几百万个天那么大?"红牛不解地看着小欧。小欧又问："这块石头有没有几百万个天大?"

红牛说："没有!"

小欧问："有没有几十万个天那么大?"

红牛说："没有!"

小欧问："有没有几万个天那么大?"

红牛说："没有!"

小欧问："有没有几千个天那么大?"

红牛说："没有!"

小欧问："有没有几百个天那么大?"

红牛说："没有!"

小欧问："有没有几十个天大?"

红牛说："没有!"

小欧问："有没有几个天大?"

红牛说："没有!"

小欧问："有没有一个天大?"

红牛说："没有!"

小欧正打算离开，红牛说："有零个天那么大!"

小欧想了想，然后面无表情地转身走了。

（王晓燕）

*孙瑞雪:

儿童在某个时期，会出现一种数学的思维，那就是逼近无限的序列。从一到十到百到千到万到十万到百万到千万到亿到十亿到百亿……直到语言不能表达。儿童从中体验并炫耀这个无限性。

这种无限还不是理性的无限。石头和天本来是不能比的，天也不能以数计。儿童在这种原本不可比的比较中，感觉和体验着混沌未开的那种无限性。

无限性是人类为之迷恋的问题之一，无限性因此具备一种美感。对无限性的理解产生了微积分，序列和极限是高等数学的基础。这个历程在儿童那里感性地经历着。

难　题

校车上，轩轩一上车系好安全带后就开始数："1、2、3、4、5……"一直数到100。接着又在念："1+1=2，2+2=4……18+18=36。"显然，上学前班的他对数之间的逻辑关系很感兴趣了。

坐在同排的阅阅也开始注意到了，也在一旁说："我来数，我知道1+1=2……4+4=8。"轩轩马上打断他说："我先数的!"阅阅不愿意地说："我也有权利数。"轩轩停顿了一会说："好吧，给你出一道难题。"阅阅转头严肃地看着轩轩，等待他的难题。

没想到轩轩伸出5个小指头说："500+500等于多少?"阅阅皱着眉嘟着小嘴，说:

“让我想一想……那个500+500等于多少……”“很简单的。”轩轩看着他说。想了一会儿，阅阅说：“我不知道500+500等于多少，我回家问问我妈妈。”轩轩并没有急着说出答案，而是说：“那你知道400+400等于多少吗?”“等于800!”阅阅很快说出结果。“那你再想想500+500是多少?”轩轩在做进一步引导。见阅阅还是不出声，他又把问题简单化：“那你知道5+5等于多少吗?”“就是10呗。”阅阅回答。轩轩又说：“是啊，5+5=10，那500+500是多少呀，就是有进位的了，进到千位了……”

听到轩轩这么说，我突然有点惊讶，惊讶他对数的逻辑已经如此清晰，并可以把类似的关系依次类推。见阅阅还在思考，似乎没有能力说出答案了，他才凑近阅阅的耳边说：“等于1000。”阅阅用疑惑的眼神看着他，他又补充说：“1000就是10个100。”两人沉默地对视了一会儿，就都安静下来了。

（何翠娟）

*孙瑞雪：

轩轩的清晰来自哪里呢？平时在幼儿园，孩子们依据自己心智的需要选择进度和教具。教具的操作，可以让孩子在感觉中最后走向抽象，这样所学就可以内化了。实物教学的意义在于孩子可以把其中的逻辑、逻辑关系搞得清清楚楚。不是学，而是“吃”了进去。这就是自主和具体操作的功能所在。

在这所教育机构，概念教学、实物教学、共同讨论是教学的基本原则。实物教学要求进行到12岁才完成。

＊ 通过加法板的操作，儿童体验两个数相加的过程，儿童自己发现加法就是合起来的意思，理解加法的意义。

＊ 减法板的工作，通过操作减法板，儿童体验一个数减去另一数的过程，帮助儿童理解减法的意义。

✻ 儿童通过乘法板，操作4乘以9的工作，每次摆放9个珠子，连续取放4次，然后点数，获得最终答案。这个过程，儿童自己发现，乘就是相同的数连加的过程。

社会性兴趣

——开始积极了解自己和他人的基本权利，喜欢遵守和共同建立规则，形成合作意识。

儿童社会性发展二三事

处于社会性行为敏感期的孩子们，他们渴望更多地认识社会，渴望更多地了解社会规则，渴望更多地学习社会行为，渴望更直接体会社会性情感……

故事一：一天我们的社会实践课，由孩子自己选择学校工作岗位，分别是“医生”“老师”“清洁工”的工作。

孩子们都在用心体会着这些职业的工作，嘉嘉的新职业是“医生”，他跟在周医生的后面，不停地记录每个班级的出勤情况，并把这个情况反馈给厨房，帮助周医生把吃过药的小朋友送回到班级。

诺诺和小琳是小爱神班的“老师”，她们的职责就是照顾小朋友梓梓、萱萱，带他们一起游戏，小心翼翼地照顾他们走楼梯。

昊昊和东骏是户外的“老师”，他们自己组成了一个“巡逻队”，从蹦蹦床到滑滑梯，再到沙池，他们不停地“巡逻”，帮助维护户外的规则。

小恺和玥玥的新角色是“清洁工”，她们拿着扫帚打扫户外的卫生。落叶、沙子、灰尘都被她们打扫得干干净净。

故事二：最近我们班的孩子在工作和游戏中都表现出比较强烈的合作意识和合作行为。今天他们又举行了一场拔河比赛。比赛之前，孩子们自己选择合作伙伴，分成两队，他们合作分工互相配合，阿志告诉同伴怎样才能更有力，昊昊给同伴安排具体的位置。

比赛结束时，孩子们都说“我们赢了”“我们没赢”。而没有孩子说“我赢了”或者“我输了”。

（吴希）

＊孙瑞雪：

在学校课程设置上，每周都有社会实践课，孩子们选择的活动总有不同。有时去大学，有时去花圃，有时去卖报，有时分组到各家去做厨师，有时共享自然……这个课程的设置使孩子的视觉扩展到各个领域。从幼儿园直到小学，9 年的时间，孩子的认知就这样被延伸着、扩展着。

✱ 儿童通过带有规则性的活动来充分体验规则。儿童愿意建立规则，并共同遵守规则。这是儿童在成长中自发完成的。

动植物、实验、收集

——开始热烈地吸收一切来自自然界的知识。

热爱小动物

琪琪和扬扬5岁半开始对动物感兴趣。那段时间里，俩人所有的生活内容都跟动物有关。

两个孩子从5岁半起就几乎不再上幼儿园了。白天在院子里和动物待在一起，晚上请求爸爸带他们去市场买小鸡、小鸭。每周的零用钱一发到手里，俩人立刻就不见了踪影，那是跑到市场上买小动物了。他们很快和市场上的一个农村小男孩交上了朋友。一次，那个农村小男孩提着半桶蜗牛来找琪琪和扬扬，3人兴奋地说了半天，最终达成了交易，用2元钱买下了半桶蜗牛。过了几天，那个小男孩又来了，拿了一个玻璃瓶，里面装着一条黑色的蚂蟥。3个孩子把蚂蟥倒在洗衣盆里，蚂蟥沿着盆沿往外爬，琪琪拉着我的手："妈妈快看！他的前后有两个吸盘。"

他们俩和农村小男孩的关系维持了很久。兄弟俩常常是干干净净提着小红桶出去，回来时已成了两个泥猴，有几次凉鞋也被渠水冲跑了。还有几次，俩人各提回一桶蟾蜍，蟾蜍满院子跑，钻到各处。早晨穿鞋时，鞋里也钻有蟾蜍，搞得我既恶心又害怕。

有时家里来了亲戚和朋友，一转眼客人和孩子都不见了。一小时后他们回来了，买回兔子、乌龟、金鱼、小猫、水草……我责备两个孩子，他们回答："叔叔自愿买的，不信你问！"到了星期天，两个孩子会急不可耐地串门，交流各自小动物的最新情况。一天中午，扬扬妈妈打电话说，扬扬痛不欲生，说乌龟死了。跑去一看，小乌龟又动了，这才破涕为笑，说乌龟刚刚冬眠了。

冬天到了，琪琪买回一条狗，给狗起名白玉辉，常常叫狗："白玉辉！到哥哥这里来。"让客人搞不清这是人名还是狗名。有了小狗，兄弟俩开始给小狗盖房子：砖泥结构，南、西各一个洞口，洞口用木条支撑，上面盖着玻璃顶。这一盖一发不可收，大冬天的，一个狗窝拆了盖，盖了拆，有时一天要拆3次，盖3次，换3个地方。一人提水，一人和泥；一人砌砖，一人送泥。盖好一个，俩人轮换着，抱着狗进去蹲半天。脚上的棉鞋都冻成了冰疙瘩。我有点担忧，他爸爸说：“不用担心，这么投入，这么忙活，这么愉快，不会生病的。”

不久张柳依也加入了盖房子和抱狗的活动中。大冬天的，柳依的妈妈要给柳依穿棉衣，柳依满院子逃就是不穿。穿上衣服工作就不方便了！她妈妈说柳依常感冒、发烧，我让她试一试，让柳依同琪琪和扬扬多玩几天，看是不是会感冒。几天后，柳依哭着不去幼儿园了，天天和琪琪、扬扬一起盖房子、养狗，始终没有感冒。

春天来了，两个孩子开始带着他们的小动物去上幼儿园。孩子们围着小动物欢天喜地，一起在幼儿园树林的地上挖了个洞，然后轮换着抱着小兔子蹲在坑里，排队体验这个奇怪的过程。

6 岁半时，兄弟俩开始对电脑产生了兴趣。动物的敏感期终于过去了。

（均瑶）

* 孙瑞雪：

达尔文上小学的时候，常常不上课，到学校后面的树林里玩小虫、小动物、观察植物。因为成绩不好，他爸爸怒斥他：“你给家族丢尽了脸面。”可就在这玩耍中，达尔文同自然界建立了亲密的关系，为他以后的发展奠定了基础。换句话说，如果没有童年这段同自然沟通的经历，或许就没有今天我们认识的达尔文。

通过调查杰出人物，一些心理学家发现，他们成功的决定性因素之一，是 5～13 岁期间形成的经验和信仰。

5 岁左右，儿童对自然界的认识已经达到一个很高的程度。幼儿园、学校应该尽可能为儿童提供在生活中、自然中学习的机会，让孩子们同自然产生联系。仅借助于书本不可能完成这个任务。

有一次，我和几个老师坐在办公室里，突然间，大厅里一片沉寂，而当时应该是孩子们在大厅里自由活动的时间，孩子们怎么了？几位老师立刻紧张起来，跑出办公室，发现所有的孩子都仰着头，一层一层地围起来看着什么。突然，他们发出一阵惊叫声，又突然静了下来……过去一看，原来是一只蜘蛛从大厅的屋顶上悬吊在半空中，蜘蛛只要顺着丝往下掉或是往上爬，就引起孩子们惊喜的喊叫声，蜘蛛不动了，孩子们也突然不动、鸦雀无声。

孩子们对生命界的敏感高于物质界。

厄尔尼诺和拉尼娜

贝贝 5 岁 1 个月了。刚开始跟他接触，发现他很乖，神情有点羞涩，但我能看出来他渴望与人接近。中午值班时，孩子们都午睡了，有时会听到一阵嘤嘤的抽泣声。那是贝贝在哭。

我不知道他真正需要什么，凭经验猜测，以为他是想爷爷、想妈妈了。于是很在意他的一举一动，但不轻易去打扰他。

贝贝有口吃的毛病。尤其刚开始说话时，一个音发好几遍或者拉得很长才发出来。我很少打断他，只是偶尔告诉他："别紧张，想好了再说。"

贝贝对我越来越信任，总是默默地跟着我，但从不向我提出要求。

今年5月份开始，他每天给我讲一些天文方面的知识，如星座、天象、星空、星系等。还问我："老师，你知道天空中有多少个星座?"然后自问自答。在这期间，他陆续知道了9大行星的名称并认识了它们，还能说出各自的特点。

有一次贝贝对我说："老师，我告诉你吧，木星打扁了是土星，金星像一个金色的圆盘挂在夜空中……"贝贝一有时间就逮着我讲这些，如果早晨我没进教室，他就会到外面找我，拉着我进教室听他讲天文知识。

有一次，我找出一本天象图，有春、夏、秋、冬四季和星座分布。我发现他竟然认识很多行星，如大熊、小熊、北斗、牛郎、织女等。过了几天他对我说："我又学了一点知识，我去爷爷奶奶那儿，和弟弟一起玩，玩得特别痛快。我还把爷爷奶奶训了一顿，他们一点也不懂天文，说什么狗吃了月亮……"

贝贝有一套《十万个为什么》的光盘，这对他顺利度过这段时期起到了非常重要的作用。慢慢地，他的表达能力越来越强，口吃的毛病也越来越轻了，还常说很成人化的口语。比如："我研究过天文、恐龙，还有水下的两种动物。""让我给你讲讲动物方面的故事吧。""幻苍草是野生毒草，人吃后会死亡。""以一种想不到的方式起作用。""不全是这些方面，你知道别的国家的演变吗?""这些先由印度演变到中国，只是说法不同而已。"他的口头表达能力迅速发展着，到了让我吃惊的地步。

9月中旬的一段时间，每天早晨，贝贝一到幼儿园必然问我同一个问题："老师，你知道厄尔尼诺和拉尼娜吗?"我知道那是专有名词，但不知道什么意思，便告诉他不知道。持续问了几天后，他终于找了个机会主动给我讲解起来。

贝贝先问了我几个问题："第一，雷雨后空气为什么变得清新?第二，空气污染为什么是人类的大敌?第三，赤潮是怎么出现的?"

问话非常流畅，我欣喜地听着。

"洛杉矶烟雾是由汽车引起的，先告诉你。死了一名演员，然后科学家说他得了什么病了，所以人类要调节好空气。为什么呢?因为臭氧的变化，臭氧也是氧气的一种……尊重植物才能把空气调节好。”

“现在回答第二个问题。原来问题出在汽车身上。人不应该发明汽车，而火车、摩托车也很危险。”“不断往地里施肥也不行，植物不断放出二氧化碳，排入江河湖泊中，是我们所说的‘废肥’。”

“赤潮是因为人类的破坏才出现的。”我赶紧插话举了几个我知道的例子。他听完评论道：“这是小破坏。”接着滔滔不绝讲了起来，根本不给我说话的机会：“工厂排废水引起那种细菌，那种细菌大面积出现能使鱼死亡。人们排废水到江河湖泊里面，赤潮有时会变成红色，用那种方法一般就能判定水质。”

“我再给你讲讲厄尔尼诺。厄尔尼诺的意思是上帝。一支的支，制止的止，是‘上帝支止’的意思。”

我怀疑应该是“上帝之子”，就把我的想法告诉了他。

贝贝采纳了，接着讲：“这是西班牙的翻译，‘上帝之子’和‘天下皇后之子’，他俩相伴相随，也可以把厄尔尼诺叫做上帝之子，也可以把拉尼娜叫做皇后之子。”

很长很长的一段对话，非常丰富的语言，非常自信的评论。尽管我最后也没搞清到底什么是“厄尔尼诺”“拉尼娜”现象，但我知道贝贝懂了。从他滔滔不绝的表达中，我看到了一种强大的自信。他对这方面知识的敏感持续了5天，就在这5天里，他掌握了大量相关的东西，这与他父母在这段时间给予的帮助有很大关系。

现在的贝贝，神情仍不时有点羞涩，但绝没有了早先的胆怯，他会在我面前放松地大笑，开玩笑，做各种好玩的动作。我再也没听到那嘤嘤的抽泣声。他成功而安全地度过了渴求知识的敏感期，人格状态也随之大幅提升。

把握儿童的敏感期真是太重要了！

（史红霞）

＊孙瑞雪：

5岁过后，儿童会有一个非常独特的时期。这段时间内，他对各种知识和情感产生强烈兴趣。只是每个孩子的关注点不同，时间的长短也不同：几个月、半年或者一年不等。这段时间里，孩子可能什么都不做，每天就看、摸、说这方面的知识。《科技之光》这样的专题节目是这段时期孩子的最爱。这时，自由对孩子显得尤为重要，如果这时成人来教孩子，孩子的敏感期就会大打折扣地流失掉；如果没有成人专心地倾听，孩子敏感期的激情和兴趣也不会这么持久和深入。这就是我们不断强调给孩子爱和自由的原因。

延续交往的敏感期

——结束一对一的交往，进入三四人一组的交往。

交际的敏感期

班上的周凡青、胡格溶、刘美琦、陈源几个人经常在一起，形影不离。在学校里，经常能看到他们或徜徉于田间地头，或在大厅里载歌载舞，或在长条凳上促膝交谈，或头碰头凑在桌子上画画。

5~6岁的孩子逐渐进入了交际的敏感期。他们交往的形式不再是一对一，而是三个一群、五个一伙，在小团队中彼此认同，相互学习，形成一种愉快、默契的合作关系。

他们常常自己解决问题，基本不需要老师出面调解，同时也很在意彼此的态度。周凡青曾因为琦琦说过类似于“我们不和你玩了”这样的话而暗自伤心，仿佛这个小团队抛弃了她，当时想尽办法都无法化解她心中的忧郁，直到这个小团队同她“尽释前嫌”，她才重新愉快起来。

胡格溶也遇到过类似的问题。

他们对我读的一本讲礼仪的书表现出极大的兴趣。对其中一些内容记忆犹新，如接受别人礼物时不要说三道四，为把某件事做得很出色的孩子鼓掌，用眼睛和别人沟通等。偶尔有一次早读时我忘记了阅读这本书，他们就争相提醒我。

（闫华）

*孙瑞雪：

5岁以前，孩子们交往的特征常常是一对一，通过交换物品、食物、玩具进行，往往矛盾不断，但容易流泪解决问题的同时又容易重新和好。这段时间的交往对人的一生实在太重要了。在自由中，孩子们平等地交往着，学会了承受、判断，如何说话，如何把握他人的心理，如何找到感觉。

有了这些基础，5岁以后儿童结束了一对一的交往，进入了三四人一组的交往中，并且在选择朋友上有了明显的精神倾向，也基本结束了以交换为目的的交友方式。他们开始相互表达爱意、解除孤独，也开始出现从心理上对别人的控制和反控制，出现了情感上的依赖和沟通。

这奠定了孩子们的人际智能基础。

❀ 分享成长：

买房子

今天一大早，5 岁的心心就沮丧地对我说："我妈妈说了，以后不给我买东西。"我忍不住问："为什么？"她撅着小嘴说："妈妈说要给我和妈妈买房子，就不能给我买东西。要不然我和妈妈就没房子住。"旁边的老师很认真地告诉她："心心告诉妈妈，房子要买，你需要的东西也要买。"孩子认真地听着，我不知道她是否听明白了。

买房子不是孩子的责任。对孩子来说，房子对他远没有玩具那么重要。他甚至对房子没什么感觉。家长会认为买房子是为孩子，是让孩子能有好的生活环境。

如果把买房子的压力和责任加在孩子身上，并在孩子需要物品时压抑孩子，孩子对房子就很反感和怨恨，这时所谓的为孩子买房又有什么意义呢？最好是对孩子不提房子。

家长在买房子的时候，应当理解孩子的情绪和需求，同时为孩子的需求做好合理的安排。

（佚名）

* 孙瑞雪：

做父母的应该能够独自承担生活的压力，让孩子承担他成长的压力，这样可能更好。父母将事情说给孩子，孩子平时的所需根本没有减少，潜在的心态却是和孩子分担买房带来的压力。

记得上大学时看过一篇文章，写的是一位母亲带着好几个孩子生活，全家靠母亲给别人打工挣钱为生。每月取回薪水，母亲总是拿出一部分对孩子说："这些钱存到银行，应急时用。"每个孩子的心里因为有了这么一小笔钱而感到踏实和安全。孩子们一个个长大成人，离家走了。有一天，小女儿对妈妈说："妈妈，银行里我们已经存了一大笔钱了。"母亲这才告诉孩子，她从未在银行存过一分钱。

富有的家庭毕竟是少数，大多数老百姓依然过着勤俭的生活。让成人去承受生活的压力吧，不要让这压力过早地压在孩子稚嫩的肩上。

孩子和成人不一样。成人感觉很强烈的事情可能孩子没什么感觉；而孩子极感兴趣的东西成人可能会莫名其妙。

我们真能理解孩子吗？当我们不理解的时候，爱是一把万能的钥匙，能帮助我们和孩子渡过难关。

晶晶的二三事

（一）

这几天以来，5岁半的晶晶总是坚定地维护自己的权利不受别人侵害。一旦别人侵犯自己，她会毫不客气地说："请你给我道歉！"语气非常坚定。不仅如此，如果发现别人违反规则，她也是勇气十足地制止别人。

那天，肖肖在教室里奔跑，晶晶立刻对我说："老师，肖肖在教室里奔跑。"我告诉肖肖，教室里只能走。而晶晶却严肃地提示肖肖："请你给教室道歉。"逗得我们直笑。因为没有找到道歉的对象，她又对肖肖说："哎，不对！请你给地道歉。"

（二）

英语课上，晶晶和嘉力配合，在黑板前面演示动作，老师说："Stand and hand by hand."晶晶没有意识到，嘉力就用重重的语气对晶晶说："晶——晶！"晶晶激动地看了看嘉力，脸上突然泛起一片红色，有些尴尬。老师接着说第二个动作时，晶晶忽然冒出了一句："老师，我希望这是最后一次。""下一个动作是stand and back to back."老师说话了，还有点尴尬的晶晶迅速背对着嘉力开始做动作，还轻轻扳动了一下嘉力的胳膊，力求配合得完美。

（三）

吃饭时晶晶细致极了。早餐的苹果，有一点坏的地方，她就会提醒老师重新换一块。盛饭时，她不允许老师将两种菜混在一起放在盘子里。见别人把饭和菜搅在一起吃，她觉得很奇怪："他怎么那样吃呀？"

（丁红霞）

*孙瑞雪：

我们曾做过一个实验：买了25个纯奶油雪糕，25个五仁糕（花生仁、葡萄干、芝麻等同时放在雪糕里），放在冰箱里由几个孩子自由选择。几小时后发现，五仁雪糕吃掉了一个半，剩的那半个留在桌上的杯子里；纯奶油雪糕一个不剩。孩子不愿选择五仁雪糕。

孩子们喜欢分类清楚的东西。这种分类、归纳的逻辑，首先反映在孩子们的生活中。晶晶吃饭严格分类就是一个典型。我们要尊重孩子们的认知态度，不要把饭菜搅在一起给孩子食用。

说胖就哭

学前班的孩子们大都5岁半了。早晨的主题课，班上进行分享别人优点的内容。大家争先恐后地分享别人的优点。

王北辰按捺不住自己的激动，看了看一旁的小虎虎，急不可耐地想说什么。“辰辰，你和大家来分享虎虎的优点。”我叫他。

“我觉得他有一点胖。”辰辰的话音刚落，小虎虎“哇”的一声哭了起来。辰辰不知所措，一脸的茫然。

“小虎虎，你怎么了？”小虎虎只哭不答。

“是因为他说你胖吗？”我问道。小虎虎点点头，哭得更委屈了。

“宝贝，你误会辰辰的意思了，他没有伤害你的意思。他喜欢你，说你胖是想说你很健壮、可爱。是这样吗？”我问辰辰。辰辰赶紧点点头。

小虎虎含着泪上完了这节课。

第二天瑞瑞跑来问我：“老师，胖是不是骂人的话？”“我认为不是。”“那虎虎为什么说我骂他？”“是吗？有些人可能介意别人这么说。如果他不开心，我们就不这样说。你说呢？”

我决定找小虎虎的妈妈了解情况。一问才知道，原来有一次小虎虎说妈妈是个胖妈妈，妈妈当时很严厉地对他说：“以后，不可以这样说妈妈。”打这以后，“胖”就成了小虎虎忌讳的词，他认为那是一个骂人的字眼，大家都不喜欢。

（徐颖）

＊孙瑞雪：

有一次，7岁的张柳依到我家玩。站在洗手池前，镜中映出她和我，我笑着问她：“你妈妈胖还是我胖？”张柳依无比骄傲地说：“当然是我妈妈胖。”然后很不屑地看了我一眼，转身走了。

小虎虎为什么哭了？在这个例子中我们看到：第一，孩子在对妈妈用这个词之前已经掌握了“胖”的基本意义；第二，通过妈妈的反应，孩子认识到这个词具有贬义，但没有认识到这个贬义有前提条件；第三，通过伙伴对他用这个词，他知道了这个词的贬义并不是处处存在。

“胖”在成人世界和儿童世界是不同的概念。孩子们喜欢跑过来环抱住你，把头埋在你的怀中、胸前、肩窝里寻找安慰和安全感，胖的感觉一定是又踏实、又温馨。而成人对胖的感觉主要来自于审美和衣着。在以后的生活中，孩子自己将有机会了解这个词的含义和用法。

我想妈妈

正上阅读课，聪聪不小心挤了薇薇。5岁半的薇薇极委屈地告诉了老师。正在阅读的我只是拉聪聪坐好，但从薇薇的表情看得出她很委屈，快要哭出来了。我想她一会儿就会好的，就没有停止阅读。

阅读结束了，薇薇不停地叫："老师，你看他！他总挤我。"忙于指导工作的我，只对聪聪说了句："聪聪，请你不要挤着她。"聪聪不情愿地道歉说："对不起，我不是故意的。"过了一会儿，薇薇哭着来找我："老师，他踩着我手了。"聪聪紧张地过来解释："对不起，我不是故意的。"

我安慰了一下薇薇，让他们继续去工作，并开始留意他们的工作状态。聪聪专注地工作着，根本顾及不到别人，薇薇却在一旁小心谨慎地留心别人怎么对她，并不时用乞求的眼神望着我。我有点纳闷，今天薇薇怎么了？工作不能专注，看上去还有些焦虑。

我走过去坐在薇薇旁边，搂着她说："薇薇，两个人在一起工作需要配合。聪聪工作很投入，如果你也投入地工作，你们会合作得很好。"薇薇还是委屈地望着我。我想起阅读的时候没有安慰她，就笑着对薇薇说："请薇薇原谅聪聪，他不是故意的。老师和你们一起工作。"薇薇开始放松了，取完数量，挤到我怀里撅嘴说："老师，我昨天没有见到妈妈，我在月月姐姐家住的，我想妈妈。"我一下子找到了她焦虑、脆弱的原因。她现在需要老师的安慰和关注，但更需要妈妈。

（佚名）

*孙瑞雪：

妈妈是孩子安全的来源，活力的来源，妈妈是孩子全部感情的寄托。妈妈绝不要无规则地离开孩子，更不要把孩子全托在什么地方。再好的地方也不能替代妈妈。

在幼儿期，当父母拿着包离开家上班时，他会认为父母消失了。当父母回家时，他又认为他们突然出现了。幼儿的智力还不能理解上班这样一个复杂的时间过程，因此当幼儿同父母尤其是母亲分离时，自然会焦虑。

儿童三四岁时，会害怕父母不来接他。到了5岁左右，儿童有了情感的理解力，如果父母不来接他，他会认为这是一个爱他或不爱他的问题。这时孩子不再就事论事地哭，哭完就好，而是把事放在心里，这一放就有了心事，事件开始具有了历史意义。

爱和没爱，就造就了一个人。

大了也想让抱

中午看到蓉蓉，我说："蓉蓉，我喜欢你，可以抱一抱你吗？"蓉蓉点点头，我高兴地抱起了她。

学前班快6岁的纪敏智看见这一情景，对我说："你可以抱一抱我吗？"我以为他在开玩笑："纪敏智，你都这么大了，还让我抱？"他又说："老师，你抱一抱我嘛。""那好吧。"我抱起纪敏智，他双手搂住我的脖子，把头靠在我肩上。

抱了不到1分钟，纪敏智说："对了，我还有一件事要做，我怎么忘了。"说完从我怀里出溜下来，走了。

星期五早晨，去电视房的路上又碰到了纪敏智。他看见我说："你可以抱一抱我吗？"我说："当然可以。"铃声响了，我放下他去上课。他也一蹦一跳地走了。

（金娟）

＊孙瑞雪：

儿童是在抱中成长的。"妈妈抱抱。""老师抱抱。"哭了"要抱抱"，难过了"要抱抱"，伤心了"要抱抱"，情绪不好了"要抱抱"。

抱是爱的身体语言。小孩子、大孩子都需要爱。成人也需要爱，虽然我们的身体长大了，但我们还是要成长。没有爱，我们就不再成长。

连刚出生的小狗崽也需要爱来成长。我们家养了一只宠物小狗，无论何时它都主动去寻找爱，并且总能知道从谁那儿会得到那份爱。

生命是依靠爱来生存、发展、成长的。儿童的成长经历决定着他成人后的情感状态，决定着他未来的婚姻生活和情感生活，也决定着他对这个世界的态度。

保护并培养儿童自由、丰富的情感世界是我们能够给儿童的巨大财富。进入小学后，儿童开始使用这笔财富，努力同他人相处，并解决自己与他人之间的矛盾。

如果孩子的内心不放松、不自由，他与父母的关系、与教师的关系就容易变成一种讨好的关系。时间一久，当讨好这种品质固定在幼儿身上，他长大后势必会讨好别人，人就变得卑微。孩子的高贵品质来源于他作为一个人得到了尊重，这尊重体现在每一天、每一个生活的细节中。

雨果说：“生命中至高的快乐，就是我们有了被爱的把握。”

不一样的生日感觉

早晨，妞妞一上车就说：“毛老师，明天就是我的生日，我要5岁了。我总觉得时间过得太快了。”我问：“为什么？难道你不想过生日吗？”“嗯，我想。可是我还没有想好给爸爸妈妈送什么礼物，因为我要感谢爸爸妈妈给我新生的这一天。”停顿了一下，又接着说：“我真希望时间能过得慢一些。”

进了班，梅梅远远跑过来抱住我说：“毛老师，明天就是我的生日，我就要5岁了。真希望时间过得快一些，这样我就可以收到爸爸妈妈送给我的生日礼物。”看她兴奋的样子，我说：“时间很快会过去的，早上上完两节课，中午睡上一觉，一天很快就过去了。”

“嗯。”她点头，“哦，老师，我要告诉你，明天也是妞妞的生日，我和她是同一天生的。”这时，妞妞走过来和梅梅手拉手说：“明天是我俩的生日。”她俩互相看了看，很幸福的样子。一旁的肖肖说：“什么，明天是你俩的生日，不会吧？”梅梅和妞妞同声道：“就是的！”

肖肖激动地将这个消息告诉班里的其他小朋友：“明天是梅梅和妞妞的生日！”大家流露出羡慕的神情。梅梅和妞妞又一次幸福地笑了。

（毛晓琴）

*孙瑞雪：

过生日时，很多人围着孩子，很多双眼睛注视着孩子，很多个礼物让孩子高兴……人天生有一种需求，那就是想得到他人的关注、想引起他人的关注。得到关注不够的孩子就会变得“人来疯”，人多的场合把握不住分寸。给孩子过生日，让孩子通过正常的方式获得尽可能多的关注是一种好办法。

也可以利用春节、圣诞节或其他节日来一次家庭聚会、朋友聚会，为每个朋友准备一份小礼物，精美地包裹好，让孩子挨个送出去。得到礼物后，客人们的热烈拥抱和真诚的感谢既让孩子得到了全体宾客的关注，又获得了每个人的关爱。这种方式是大功率地输送爱的方式，一年来上两三次，能极大地满足孩子的需要，又能培养孩子人际交往的情商和得体的言谈举止。

不同的孩子对生日的感觉不一样，对其他事物也是这样。成人也是如此，面对一处风景、一部电影、一篇小说、一次经历，人和人感觉都不一样。我们不仅珍惜每一次快乐的感觉，还常常创造美好的感觉。从某种意义上来说，创造感觉就是创造生活。

跟空气玩

下午，5岁多的一品在玩一只小蜻蜓，航航总是跟着她。进了教室，一品见航航还跟在自己后面，扭头就出去了。这时呼延大声对航航说："你不要老是跟着人家，人家又不跟你玩！"航航不听他的劝告，犹豫了一下，还是跟了出去。

过了一会儿，一品举着她的蜻蜓不耐烦地走进教室，对教室里的呼延说："我要跟空气玩。"呼延接着话茬儿问："你要跟空气玩？是不是你升到天堂去和那里的空气玩呀？"一品解释道："我要跟地上的空气玩。"

呼延质疑起来："地上哪里有空气？"一品辩解道："有呢，教室里有空气，看不见的。"呼延待了一会儿，问："那你怎么跟它玩？"一品冲着他笑了笑说："空气过来，我要跟你玩。"呼延说："空气是假的。"一品语气重重地辩驳道："是真的，教室里就有空气！"

这时一旁的陈笛说："对，是假的。""真的，到处都有空气，天空中也有空气，但我现在要跟地上的空气玩。"一品坚持自己的观点不变，陈笛也不放弃自己看法："假的！"

这时，一向温顺的一品对呼延、航航两人开心地笑着说："走，咱们去跟空气玩吧！"航航一蹦一跳地走了出去，呼延也爽快地答应着："走，要跟空气玩啦！"

（丁红霞）

*孙瑞雪：

儿重已经掌握了"空气"这个词，也对空气有了朦胧的感觉和模糊的认识。我就想：如果这时候能插入一堂空气的主题课该有多好！

儿童的思路有时就在真理的边缘徘徊。也许，有的儿童通过争论能懂得一些真理；也许，有的儿童通过争论能增长自己的见识；也许，通过争论儿童能锻炼自己的表达能力……总而言之，儿童无处不在地学习。

儿童是在生活中学习的。这就让我们考虑，教学应当怎样和生活结合起来？在儿童那里，和生活结合起来的教学充满生命力。显然，这个讨论将保存于儿童的心中，对儿童以后对空气的学习有极大的帮助。

第7章

6岁以上

一些螺旋状敏感期，伴随着孩子一直成长到12岁。 如绘画、音乐、语言、审美、对空间的认识、人际关系、秩序、独立等。

除此之外，小学的孩子开始明显表现出理财的兴趣、集体意识、深入思考问题的趋势等。

小提琴演奏会

4月末的一天，我正坐在沙发上看电视，7岁的儿子乾乾走过来抛过一张纸条，捡起来一看：

小提琴演奏会

曲目：《小步舞曲》《午睡》《小溪在歌唱》《小丑》

门票：5角

地点：我的卧室

时间：8：35

——乾乾

赚钱真有办法。我说："好吧，我买票。"当即给了他5角钱。他说："我布置房间去了，你别过来，演奏8：35正式开始。"

到点了。我走进他的卧室，只见4支红蜡烛环绕着他，前方是谱台，他端坐在中间。真有一种神秘的气氛。我说："开始吧！"音乐像流水一样叮咚响起来，是熟悉的曲目，却出奇的动听。儿子一曲拉罢，我拍着手说："太好听了！再来一首。"很快，我们度过了他练琴以来最令人激动的半个小时。

第二天，乾乾对我说："妈，我要自己作曲，再表演给你听，1元钱！"我心一动："好吧，你自己谱曲，付出了劳动，理应加倍。"他忙着画起了五线谱。我一看，格太宽了，音符像一个个大蝌蚪，不好看，就帮他画了一张谱线。

他兴奋地作着曲，说什么自由延长、空拍等。就这样，创作出了自己的曲目：《咖啡》《云朵》。

下午他又忙着排练，练了一会儿，跑过来说："太难了，妈，我要去改谱，改成好拉的。"我们一起唱了唱谱，改正了几个错音符。

（王红　乾乾妈妈）

*孙瑞雪：

门票、布置、排练、氛围、演奏、欣赏，这场音乐会真够完整的。

为了挣钱，孩子们会使用自己的特长。孩子们非常了解大人的心理：你不是想让我多学多练吗？他会巧妙地让大人钻进他设好的圈套里，达到他的目的。我就经常这样上儿子的当。

乾乾的王牌超市

儿子乾乾8岁了，刚上二年级。一天下午，我接乾乾回家，路上给他买了串麻辣串。他边吃边问我：“妈，一根火腿肠批发多少钱?”“金锣牌的4角钱一根。”“年糕呢?”“6分钱。”

第二天放学回家，乾乾对我说：“妈，我卖麻辣串。火腿肠一根8角钱，一块年糕两角钱。”“太贵了！家里的油、火、辣椒不收你的钱，你只应收工钱。火腿肠我出6角钱，年糕只出1角钱。”“太不公平了！我是小孩嘛，火腿肠8角钱，年糕1角钱。”他跟我讨价还价。“好吧。”

乾乾开工了。戴上围裙，用刀把火腿肠划出花纹，把年糕切成片，点着火，放上油，开始炸起来。炸完还将剩下的油凉一凉，再将炸好的辣椒油倒入辣椒碗。“老妈快来吃！你多吃一点，让我多赚钱。”“儿子真能干！好吧，我先吃1根火腿肠，5块年糕。”“8角加5角，共1块3角。”“火腿肠真香，再来一根。”“又是8角，2元1角。”“宝贝，你也来吃吧。”“妈妈，你多吃年糕呀。”“宝贝，年糕和火腿肠是你喜欢吃的，我又不喜欢吃油炸食品。”“不行，妈妈你得多吃！我才赚这么一点儿钱。”“宝贝，食品是一种商品，你要卖我喜欢的食品我才可能买，这样你才能多赚钱。”“你喜欢什么？下次我给你做，这次你就多吃一点嘛。”“好吧，我多吃!”为了让儿子多赚钱，那天我真把自己吃撑了。

过了两天，乾乾一进家门就兴奋地对我说：“妈妈，我有钱了，你看!”只见他从裤兜里掏出2元5角钱。乖乖，是不是赚到学校去了？我问：“怎么来的?”“我卖水球和王牌。”“什么价?”“王牌和商店一样，一张1角钱，不过我卖的王牌可以随便拣!”“水球呢?”“我批发了10个小气球，一共5角钱，批发的阿姨又白送我1个。我灌上水，制成水球，卖1角钱1个。”“好，会理财了，如果有小朋友多买王牌，你可以赠送他们几张。”“为什么?”“有赠品，你的生意会更好的。”

接下来的几天，每天中午、晚上，乾乾都在家忙着将王牌分类、装袋、密封、粘赠品。他在下课时卖，生意真是挺好的。有一天我去接他，他说：“妈，我今天赚了5元钱!”想掏给我看，一摸，钱丢了！立刻伤心地哭了：“我的钱没了，我辛苦赚来的啊!”

乾乾为了多赢得王牌，曾经在家用香油、胶水、万能胶、砂纸等各种材料“练宝”，放学后就在操场上练习扎宝。结果他扎王牌的水平越来越高，常常不一会儿就将别人的王牌全部拿下。做这种事这么专注、用心，我真不知是喜还是忧。

（王红　乾乾妈妈）

＊孙瑞雪：

这只是孩子的一个成长方式。敏感期里的孩子就是这样。敏感期过去后，这些经历、经验、学会的知识、技能和思维方式会留在心里。

不过，大多数学校是不允许孩子们这样做的。

洗碗经济学

宝宝上小学二年级了，6 月 9 日是她 9 岁的生日。

“五一”那天我忙了一上午，累得不愿动了。吃完午饭和女儿商量：“宝贝，你帮妈妈洗碗吧？”宝宝想了一下，问：“付钱吗？”我说：“可以。”“那洗一个碗多少钱？”“2 毛。”女儿不满意：“不行，太少了。”“3 毛。”“不行，5 毛。”我故意夸张地说：“啊，5 毛，太贵了吧！？”“不贵不贵，就 5 毛，噢——好妈妈。”“好吧好吧，就 5 毛吧！”

女儿数着碗开始计算：“5 毛加 5 毛是 1 块钱。那勺子算多少钱呢？”她发现还有勺子。我惊叫道：“勺子还算钱呀？噢，算 1 毛吧。”“不行，太少了。”我立刻说：“2 毛，多 1 分也不行了。”她挺痛快：“好吧。”又接着算账：“两个勺子 4 毛，加 1 块共 1 块 4 毛钱。妈妈，这个盘子洗不洗？”“洗。”“那算 7 毛钱吧。”“为什么？”“因为这个盘子比碗大嘛，1 块 4 毛加 7 毛是……”她自顾自地算了一下，得出答案：“2 块 1 毛钱！”

我把碗收到洗碗池内，发现还有一个小锅，就对女儿说：“还有一个锅。”她马上问：“锅多少钱？”“5 毛。”“不行！”“7 毛。”“太少了！”“那好吧，一共 3 元，再多 1 分都不行了。”我态度很坚定。“好呀。”宝宝爽快地答应了。我帮宝宝系好围裙，卷起袖子，一头倒到床上休息去了。

（刘军　宝宝妈妈）

＊孙瑞雪：

生产和交换是人类社会的基本经济活动。在我们学校，8 岁左右的孩子普遍都出现了

“财商的敏感期”。使用这个词汇真不知是否妥当。他们在学校、教室里交易，有时教师也会参与进去。我也买过一些便宜的东西，常常自以为赚了，但事后常常发现总被孩子们套进去，赚走我更多的钱。例如，他们一幅画卖2至5元钱，我答应买40幅，他们用小纸画连环画，最后两人联合，拿走我100元钱。然后大笑着对我说：“知道你会上当的。你想骗我们多画画，多学习！”孩子们早看出了我的动机。

理　解

美术课后，大家都拥在水池边清洗自己的调色盒及绘画工具。不知是谁碰到了8岁的田田，只见她满脸怒气和委屈，眼里噙着泪走了过来。

站在墙边的一凡看到了，关切地问：“哎——田田，你怎么了?”田田看了眼一凡，一把将一凡推到墙上，什么也没说。

一凡没弄清楚怎么回事，只好望着田田。田田一下又一下不停地推着一凡，发泄似的连续推了17次。一凡始终微笑着，看着田田，偶尔被碰痛时，只是用手臂挡一下田田。发泄了一阵，田田脸上的委屈和怒气逐渐消失了，她看了看一凡，一句话也没说，低头走了。望着田田的背影，一凡始终微笑着。

（薛梅）

*孙瑞雪：

据我所知，那时的田田和一凡正好在弥补5岁时婚姻的敏感期。他们之间已经达到了几近成人之间的理解、宽容。

我知道，这是一种爱……不需语言，只是一个眼神、一个动作，就让彼此相识并达成默契。

结　婚

一天，我正坐在钢琴边，8岁的李雪走过来问：“陈老师，你为什么不结婚?”“因为我没有男朋友。”“你为什么没有男朋友?”她很吃惊。“我还没有找到可以相爱的人。”“老师，你那么漂亮，一定有很多男孩子爱你，你找到相爱的人会结婚吗?”“会的。”我笑着说。“太好了，到时候我们就可以看到你的小宝宝了。”

实验班的孩子，由于心灵逐渐放松，很多孩子出现了婚姻敏感期（敏感期已经推后了两年）。教一年级的段老师在谈恋爱，小同学谢通经常问她："老师，这件衣服是你男朋友买的吗?""你什么时候结婚?""老师，这个包是你男朋友送的吗?"

每来一位代课老师，孩子们都会抓住机会问："老师，你多大了？有男朋友吗?你结婚了吗……"

学校有位男老师，当时学校里很多5岁左右的小女孩都喜欢他。"我长大了要和宝山老师结婚。""我以后要找一个像宝山老师那样的人结婚。"

（陈文慧）

*孙瑞雪：

许多家长担忧，敏感期错过是否还能补救？回答是肯定的。绝大部分敏感期在受到压制后，一旦环境使孩子放松，敏感期会再次出现（据我们的观察，2~10岁都有可能出现这种补偿），弥补成长的损失。2岁弥补2岁以前的，4岁弥补4岁前的，6岁弥补6岁前的。年龄越大，越难补偿，6岁之后补偿的难度相当大，这主要是因为孩子大了，成人对孩子的要求高了，孩子的学业难度和压力也更大。某些敏感期过了6岁表现形式也变了，这同6岁以前的生命体验截然不同。感受生命和旁观生命是两种不同的认知形式。

没有爱和自由带来的安全感和放松感，孩子内心深处的东西会永远地潜留在心里，越积越多，直到长大，成为一个个解不开的结。我们争取做到，老师永远是孩子们的朋友，让孩子们将潜意识上升为意识，引导孩子有问题会与人解决，会询问，会求助。

美丽的燕子

8岁的霖霖是个与众不同的孩子，敏感而细腻。因为先天的原因，他口齿不是很清楚，但他说话语速很快，这样，他和人沟通起来有点费劲。

一天早晨，霖霖交给我一张纸，说是给我的信，说完转身走了。我打开纸一看，是他妈妈代写的，有他自己的亲笔签名。信的下方，还画了一些类似飞鸟的图案。

"听霖霖的妈妈说，昨天他给你写了一封信，信上还画了美丽的燕子，就像你。"同屋的徐老师对我说。我笑了笑，把信收藏到自己的抽屉里。

过了几天，霖霖来到办公室问我："信呢?"我拿出来让他看，并告诉他我会好好保存的。他羞怯地笑了笑，转身走了。

一天，我碰到霖霖的妈妈，她说："李老师，我们霖霖可喜欢你了，每天都跟我说你。有事没事他就想让我给你打电话。你一定要多跟他交流一下，他特别重感情。”我笑着答应了。

不久，学校调我给四年级上课，和霖霖接触的机会少了。一天下午，我在办公室写教案，王老师把霖霖带到办公室解决问题。他走进办公室，看了我一眼，我也看了他一眼，又低下头写教案。

第二天，王老师对我说：“你知道吗？霖霖爱上你了，昨天我请他到办公室解决问题，他一直很难过。我觉得不对劲，回到班里和他谈话才知道，因为到办公室解决问题时你在场，他觉得很尴尬。”

又过了几天，王老师告诉我：“霖霖这几天特别痛苦，回家后对他妈妈痛苦地说，李燕老师对我太粗糙了，她根本不懂得我的感情。你应该多关爱霖霖。”

我仔细想想，自从我带四年级后，和他沟通的时间确实少了，他来办公室也极少见到我。意识到自己的粗糙，我立即跑到班里，找到霖霖，抱住他，亲亲他说：“我喜欢你。”

以后的几天，我一看到他就热情地与他打招呼。

得到孩子的爱真是一种特别的幸福。

（李燕）

＊孙瑞雪：

一个小学生爱上了他的老师，自然在我们学校传为佳话。我鼓动老师写了这篇文章。

小学二年级的美国小学生写的作文《送给贝老师的一束野花》，讲的是他爱上了他的老师。那是一个传遍全世界的美丽故事。

小孩子爱上了老师，表明孩子心中一种特别情感的萌动，表明孩子英雄时期的到来，他开始显现出少年的情怀了。

什么样的老师能获得这样的爱戴呢？是可爱的老师。

好玩的是，一个月过后，霖霖见了李老师就像什么也没发生一样。他的这段敏感期过去了。

爱和不爱

皮皮6岁了。今天午睡起来后，他叫我：“老师，你给我穿一下裤子。”看着我给他穿裤子，皮皮发问：“老师，你喜欢什么样的人？”我说：“我喜欢善良的人，我爱的人和爱我的人。”

裤子穿好了，皮皮又叫道：“老师，你给我穿毛衣。”然后又问：“老师，你结婚了吗?”“结婚了。”皮皮很好奇：“你和谁结婚了?”“我和我爱的人、爱我的人结婚了。”

“为什么我妈妈和不爱她的人结婚了?”皮皮问我。“你爸爸不爱妈妈吗?”“不爱。”皮皮肯定地说。这时，我给他把毛衣、裤子都穿好了。皮皮继续说：“老师，你帮我穿袜子吧。”

边给他穿我边问：“你怎么知道爸爸不爱妈妈呢?”

“我爸爸打我妈妈和我。”

我一惊：“你爸爸为什么打你?”

“我做错事爸爸就打我。”皮皮声音低了下来。

“你做错什么了爸爸打你?”

“上次我洒了几滴可口可乐，他就骂我。”

我告诉孩子：“你可以告诉你爸爸，让他爱你妈妈和你。如果他不爱妈妈和你，请他不要打人，用语言也可以解决问题。”

孩子沉默了。

（王灵雪）

＊孙瑞雪：

有一天，一个4岁的男孩找校长，请校长周六到他家，帮他解决妈妈打爸爸的问题。

我问他：“你是不是说错了？是爸爸打妈妈吧?”

他说：“不是，是妈妈打爸爸。”

我小心地问：“妈妈能打过爸爸吗?”

孩子说：“我妈妈非常厉害，我爸爸从来没打过她。”

孩子坐在沙发上难过地看着我说：“每次，我都很生气，我说妈妈她又不听。”他坚持要求一位校长去见他妈妈。办公室几位校长认为确实需要找男孩的妈妈谈谈。

孩子认定，这所学校的老师可以解决父母的问题。他本能地把希望寄托于这个文明程度高的地方。

有时候，会有孩子一大早来学校找老师，大声喊着：“我需要安慰!”老师就过去抱起孩子，让孩子在温暖的怀抱中得到安慰。

在自由的环境中，孩子们不会惊慌失措，他们能把内心深处的痛苦表达出来，并用自己的方式处理这些问题。孩子因此有了尊严，也有了最后的安全感。

孩子说的“骂”和成人的真骂有些不同。孩子的骂不一定是骂，而可能指一种使他不舒服的语言，如严厉、斥责、说教、挖苦等。但孩子明白，结婚应该和爱联系在一起，爱应该和美好的话语、美好的情感联系在一起。

发 现

今天实验课的内容是摩擦。王老师拿出触觉板，让孩子们在光滑面和粗糙面上滑木块，看有什么不同的效果。苏桐（男孩，6 岁半）没有认真观察，却拿着一条围巾不停地在自己的脸上和手上摩擦。我本想让他将围巾放回柜子里认真上课，可看到他认真专注的神情，我犹豫了一下，最终没有动。下了课，苏桐走到我身边高兴地说：“王老师，我告诉你，摩擦有阻力，可我发现摩擦还可以产生热，你试一试。”他向其他孩子展示着，孩子们都纷纷拥来要试一试。

（王晓琴）

* 孙瑞雪：

5 岁以后，孩子对科学实验开始感兴趣，这时他们的兴趣点并不在于学知识（这是一个巨大的误区），而在于通过实验发现事物的秘密，认识客观事物。这种认知是由儿童的兴趣引导的，他们乐于发现概念与概念之间的关系。这也是我们 10 年来坚持以概念为本的教学方式的原因。

让他玩

洋洋和琪琪都 7 岁了，刚从“爱和自由”的幼儿园毕业，上小学一年级。一次，我带着洋洋、琪琪去附近一个餐馆吃饭。店主的儿子（大约 3 岁）在门外玩自己的尿，他妈妈看到了，冲过来对孩子喊：“脏死了！快起来！”孩子没有反应，继续在那儿玩。妈妈一把拉起孩子，孩子边踢边哭，就是不想离开。妈妈生气地放下孩子走了。我还以为是妈妈放弃了，既然管不了，就随孩子去了。

不一会儿，店主沉着脸出来了，一把抱起孩子，照着孩子屁股“啪啪”拍了两下。孩子突然遭打，吓得“哇哇”大哭起来。店主什么也不说，抱起小孩就走。

目睹了这一场面，我问洋洋：“如果是你的孩子，你会怎样对待他?”

洋洋很自然地回答："让他玩，玩完了给他洗个澡就行了。"我又问琪琪："你遇到这样的问题怎么处理?"琪琪沉思了一会儿，回答道："我去找一个他没有玩过的玩具，把他的注意力吸引到这个玩具上，这样他就会高兴了。"

（王灵雪）

＊孙瑞雪：

多精彩的回答。这是两个7岁孩子对问题的看法。因为受过爱和自由的教育，他们推己及人，把自己科学、健康的成长经验应用在实践中。

很多儿童都有玩尿的经历。如果有些成人感觉不舒服，可以弄些水来让孩子去玩，其实童尿是安全的。

问题在于，很多儿童在专心致志于自己感兴趣的事物时，常常被无端打断。这不仅破坏了儿童成长的机会，长此以往，很可能造就一个无法专注的少年，一个对事情不感兴趣的青年，一个庸庸碌碌的成人。当生长的过程常常被打断，我们怎么能期望这个生命能成长到一个理想的高度呢?

用了自己的方法

数学课上，老师出了一道很长的连加题：1 +2 +3 + …98 +99 +100，请学生们找出运算规律并用简便方法计算。

孩子们都在安静地做题，忽然，8岁的陈天培兴奋地自言自语起来："啊，陈天培真是个天才！太了不起了！太棒了。"边说边晃着脑袋，旁若无人地用铅笔敲打着本子，神情极为得意。

我过去一看，5050，答案是正确的，但并不是最简便的方法。我讲了最简便的方法，他并不在意，依旧沉浸在自己算出正确答案的喜悦中。

一个月后的一天，陈天培和一凡一起来办公室做题，一道思考题把两人都难住了。过了一会儿，一凡做了出来，陈天培仍在那儿苦思冥想。

忽然，陈天培的脸上露出感悟的神情，迅速写了起来，写完后举着书，摇晃着头说："啊，陈天培真是个天才！应该叫陈迪生！噢，不，应该叫陈爱迪！真是了不起。"满脸得意之色。

我忍住笑拿过来看，答案正确，但还不是最简便的算法。这时，一凡凑过来看了看："我的方法比你的简单。"然后把自己的书拿过来给陈天培看。陈天培看后说：

“哈！现在我知道两种方法了。”得意之外，又添了许多欣喜。

（李燕）

＊孙瑞雪：

陈天培是学校的骄傲，并不是他学得如何好，而是他巨大的改变。他刚转来的时候，上课一听老师叫他的名字就缩头缩脖，面露害怕和惊恐。两年过后，他放松了，开始自己思考了，能欣赏自己了，变得快乐了。

两个月长一岁

望着现在8岁的陈秀琦，老师们真的很感慨。大家还记得她第一天上学的情景：一个白白净净的小女孩，穿着小花裙子站在妈妈身边，很乖巧的样子。妈妈走时，她懂事地跟妈妈说“再见”，然后笔直地坐在椅子上听讲。开学头两个月内她都是这样的表现。

第3个月，陈秀琦开始撕下了伪装。精神放松以后，她变得格外好动，常打扰他人，与同学的冲突也开始增多。她的许多生活概念也不清楚，譬如她随便拿别人的东西，当老师告诉她别人的东西不可以随便拿，请她还给别人时，她抱着东西说：“我要看看。”根本不明白老师在说什么。

一年级的第二学期开始，陈秀琦在教室里待不住了，时常找各种借口或趁老师不注意时溜出去，独自一个人在操场上游荡。每当老师把她带回来或强行把她留在教室时，她就焦躁不安、大发脾气，要么就在教室里四处跑动。

那是陈秀琦回到了漫游的敏感期。但当时我们没有意识到，因为这个敏感期本应在1岁至1岁半左右度过，所以当时我没给她提供任何帮助。好在学校是一个充满了自由和爱的环境，她还是靠自己度过了那个敏感期，但用了将近4个月的时间。到了第5个月，她逐渐安静下来，能坐在自己的位置上听课，只是偶尔出去游荡。

本学期，陈秀琦基本上不游荡了，开始坐在座位上听课，和同学的冲突也逐渐减少了。同时，她对书写变得“挑剔”起来，一个字只要有一笔写不好她就会全部擦掉重写！只在乎这个字是否完美，至于何时交作业则毫不在意。有时，写着写着她会大发脾气。她又在弥补追求完美的敏感期。

到了9、10月份，陈秀琦开始喜欢说“不”。不管老师提什么要求，她的回答都是“不”！老师请她书写，她偏要读课文；老师带大家读课文，她却在那儿书写。我们知道，她又在回归自我形成和执拗的敏感期。

操作教具时，陈秀琦喜欢把几样教具合在一起垒高。一次上美术课，老师请大家构图画，她却跑到地毯上工作，把三项式和长棒合在一起垒高，持续工作了近40分钟，很安静。追求完美、执拗、喜欢垒高这3个敏感期本应在3~4岁之间出现，现在竟在8岁的陈秀琦身上接踵而至了……

最近，陈秀琦开始从自我世界中走出来，喜欢与老师和同学交往。常看到她不辞劳苦地替别人拿书包或是热心帮别人，同时，也开始喜欢让老师抱抱。一天中午放学后，她最后一个交了作业。我整理完孩子们的作业，正准备锁门，陈秀琦走过来，害羞地对我说：“李老师，我想亲亲你。”我笑了：“好啊。”她兴奋地在我的双颊各亲一下，飞快跑下楼去。此后，只要有时间，她都会让我和薛老师抱抱她，她也要亲亲我们。她开始向我们撒娇了。我知道，她情感的敏感期已初见端倪。

真令人感慨，这学期她的敏感期过得如此之快，两个月就“长”一岁！作为教师，很好地了解孩子、给予孩子适当的帮助，看着她成长，真是一件幸福的事情。

（李燕）

*孙瑞雪：

这个孩子的很多敏感期，被阻碍、被破坏、被推迟了，在爱和自由的环境中，它们再度出现。如果孩子成长的环境始终没有改善，这些敏感期就可能延迟至成年甚至老年。孩子会长成有各种心理问题或各种行为障碍的成人。

可惜随着年级的升高，成人不再给她机会，这一心智补偿的工作并未完成。

讨厌你

还差10分钟就6点了，孩子们都走了，班里就剩8岁的婧婧一个人在做作业。我在一旁等候她。

做完一道题，婧婧东张西望半天，手里玩着橡皮、铅笔，没有接着往下做。

我催促道：“快点，婧婧，别四处看了，快做题。还剩几道？”

“还有4道。”

“那就快了，抓紧做吧。”

“知道了，薛老师。”

趁她做题，我抽空去收拾教室。收拾完回来一看，她正拿着一个小画片在玩。我问她：“做完了没有？”

婧婧没吭声。我过去一看：4道题原封未动！这么长时间，她一道题也没做。我无奈地搬了个凳子坐在她旁边：“现在，请你赶快做完这4道题。”她看我一眼，做了个鬼脸，低下头继续做作业。

在我的注视下，4道题不到4分钟就做完了。我一看，全对。“你做得这么好，为什么刚才不快点儿呢？”婧婧不说话，以极快的速度收拾好书包，准备回家。

忽然，婧婧转过身表情严肃地对我说：“我讨厌你，薛老师！”我愣了一下，马上微笑着对她说：“讨厌我，可以呀！但作业你还是必须完成的。”她站在那儿，深思了一会儿：“我知道了，薛老师再见！”

她的话在我脑中回响着。我为这所学校骄傲。孩子能如此真实、坦然地表达自己的感受。她知道我和她是平等的。我希望孩子们永远都能这样真实地表达自己的感受，不惧怕任何人。

（薛梅）

＊孙瑞雪：

孩子能直抒心中的感受，说明她没有受到压抑，她的心灵是自由的。

在我们学校，孩子爱老师，崇拜老师，听老师的话，但他不怕老师。

孩子们常常不愿意写作业。十多年的记忆里，好像没有一个孩子是发自内心地愿意写作业。写作业不像上课，上课是在一个氛围中跟着老师走。写作业需要孩子自己营造一个学习的氛围。这对14岁以前的孩子比较困难。我们要充分理解他们。

偷拿东西

最近，二年级班上（孩子们大都8岁了）第一次出现了孩子偷拿别人钱的事。现在的四年级也曾在两年前，也就是二年级的下半学期发生过类似的事情。

这样的孩子有个特点：他们的父母都不给孩子零用钱。

一个孩子偷拿了别人的财物，一定是道德问题吗？

我们知道，孩子最初是没有“你”“我”之分的，遇到自己喜欢的物品，他们直接拿或是抢。3 岁时，他开始有了“我”的概念，对自己的东西格外在意，抢别人东西的现象也减少了。随着年龄的增长，如果在别的孩子那儿发现自己喜欢的物品，他们会采用“以物易物”的方式来换取。到了五六岁，他们又学会通过竞技来“赢”东西，譬如砸王牌、抽奖。这种情况一直延续到小学一年级。

七八岁时，孩子们突然发现了“钱”的好处：钱可以买到自己喜欢的东西。他们开始学习使用货币，通过使用货币，他们知道了钱、物的价值。但是有的家长没发现孩子的这个变化，他们没有给孩子自己支配钱的机会，这样就会出现孩子拿别人钱的现象。

碰到这样的事情家长通常很焦急，认为是孩子的道德出了问题。这并非道德问题，一位教育家说过：“12 岁之前的孩子是没有道德感的。”

（李燕）

＊孙瑞雪：

老师是这么解决问题的——给每个孩子发了一个信封，每个信封都一模一样。还制作了一个非常好看、打着缎带和蝴蝶结的招领箱，让孩子们把拿走的钱放到信封里，然后全班同学一起将信封放回招领箱内。

永远不伤害孩子，相信他们都是好样的。遇到问题就积极寻找解决的办法，用一种人性的、科学的解决办法。

这里，我们还看到了学校规则中“别人的东西不可以拿”的进一步的意义。“别人的东西不可以拿”这个规则包含着“孩子的东西别人不能拿”。这个规则的严格实施，帮助儿童保护了自己的东西，建立了安全感。当儿童把这个规则变成了他们内在的秩序，把它们“肉体化”为生命的一部分时，进入少年期，这个内在的秩序就转化为道德。这是发自内心的自律，不是成人社会的“道德律令”。

这又一次启示我们，最基本的行为方式是在幼年期构建的，这些行为方式已成为生命的组成部分，这就找到了建立一个文明社会的行之有效的路径。

开始发育了

我是四年级的班主任，班上的孩子们大都 10 岁了。一天中午，赵彦若神秘兮兮地叫我："李老师，看我们的新发明!"拿出两个一般大小的气球："看，我给你表演!"说着把气球塞进衣服，挤放到胸部："怎么样?""我也有!"一旁的李雪也拿出两个气球塞进衣服里。两个小家伙胸部立刻鼓胀得老高。

我笑了："为什么要这样做?""好玩呗!"她们异口同声地答道。

谭老师要结婚了，这可在班里引起轩然大波，孩子们一个个好奇又兴奋。那天在光明广场放风筝，谭老师的男朋友来接她，几个女生和男生围拢过去，打量着老师的男友，有人发问："你吻过谭老师吗?"惊愕的男友赶紧说："问你们谭老师。"然后拉着谭老师赶紧逃。

第二天，赵彦若问谭老师："老师，你和你男朋友接过吻吗?"老师有点尴尬，笑着说："是啊!""那接吻是什么感觉?"赵彦若继续追问。"你为什么要问，这是我的个人隐私，我拒绝回答。"谭老师招架着。"我们又没经历过，当然要问，小气包!"赵彦若还很理直气壮。

度完蜜月，谭老师来上班。好奇的学生又追问谭老师有关接吻的事。杜颖和李雪问："谭老师你有没有小宝贝?""还没有。""为什么没有?是不是讨厌小孩子?""你是不是害怕有了小孩子，就不能做自己的事了?你太自私、太过分了!"两个女孩激动地说。惊异于她们的反应，谭老师耐心解释："不是的，我暂时还不想要，因为我还没有做好准备。"

近阶段，和孩子们接触的已婚老师都被问到了以下问题："老师你结婚了吗?""你们接吻了吗?""接吻是什么感觉?""你们有小宝宝吗?"等。

一天上舞蹈课，徐老师编排舞蹈，要求男女生结伴跳。可是，男生不愿拉女生的手，有的还挑剔自己的舞伴。女生嫌男生手上有汗、有味。被女生嫌弃的男生，脸色微红，神态忸怩。

这种情况以前不曾有过。以前的他们整天是浑浑噩噩在一起玩的。

从上学期末开始，男生与女生就不断产生矛盾。本学期矛盾更加激化。玩耍过程中，男生如果碰到女生的身体，女生就大为光火、猛烈回击。女生说男生粗鲁，男生说女生暴力。女生开始喜欢集聚在一起悄悄说话，不再和男生在操场上追逐玩耍。

他们已经10岁了！部分女生已开始发育，心理也产生了微妙的变化。孩子们对自己的性别开始有明显的意识，对人体第二性别特征充满好奇，他们想要了解得更深入，不再满足于仅仅了解名称。

（李燕）

结婚调查

四年级的一位老师要结婚了，一时间，所有的老师成了学生的调查对象。

下课了，几个四年级的孩子把我围住："老师你结婚了吗？""我去年就结婚了，有什么问题吗？""你怎么这么年轻就结婚了。你老公帅吗？""我有照片，你们自己看吧。"我拿出钱夹里的照片。看着照片，赵彦若惋惜地说："他配不上你。"另外几个女生安慰我："人又不能光看外表。老师你们接过吻吗？""老师都结婚了，当然接过吻。"有人抢白这个愚蠢的问题。"接吻什么感觉？""为什么想知道这个问题？我认为这是我的隐私，可以不回答。""你们老师怎么都这么说！小气！那你接吻了怎么不生孩子？""接吻和生孩子是两件事……"还没来得及解释，赵彦若已经把李雪叫到一边，我隐约听到她在跟她说精子和卵子的故事，俩人还神秘地冲我笑着。

几天过去，我走进教室，李雪突然跳到我跟前大叫："老师你看我发育了！"两个气球把她的胸脯顶得老高。一会儿，一个男孩以同样的方式向我宣告他也发育了，我笑着对他说男孩发育不是这样的。他立刻取出胸前的气球，把其中一个比在喉咙处。"哇，这哪是喉结，分明是囊肿。"我说他。李雪用肘碰碰他，暗示他应该放在下面。男孩笑了笑，和她一起跑开了。

（王灵雪）

＊孙瑞雪：

10岁开始，孩子就会对发育产生极大的兴趣。这时学校就安排《人体》作为自然课的教材。有趣的是，讲到男女发育时大部分孩子睁大眼集中注意力听讲，但另有几个孩子却一点儿兴趣也没有，在后面不停地玩着说着自己感兴趣的东西。老师们在办公室笑着总结："显然那几个小家伙还未到发育感受的敏感期。"果真，一年后，当其他孩子已经男女有别时，他们几个才开始对发育感兴趣。

快乐的孩子不生病

和朋友们聚会时，经常听到妈妈谈论孩子生病的话题，有经验的妈妈总会传授一些好招数：如何给孩子降体温啦，如何给孩子止腹泻啦等。

也有朋友向我讨招，我真是不知该怎样回答。因为我根本没有照顾生病孩子的经验——我的孩子从出生到现在很少生病。

前几年，单位每年年底都要给职工的孩子报50%的医药费。我也精心攒过孩子一年看病的药费单据，到了年底，我才发现孩子一年的药费加起来不超过15元。

女儿身体很好，稍微有点感冒、发烧的，吃点药就好了。

女儿不到两岁时，就被我送到了宁夏蒙特梭利国际学校幼儿园。上幼儿园期间，她是班上出勤率最高的孩子。两岁多时，她荡秋千的技术就非常高了，不仅把秋千荡得跟树一样高，还能在荡的过程中站起、坐下，看到的人难以相信这是一个两岁多的孩子。除了荡秋千，女儿玩浪桥、玩沙子、拍球……整天忙得不亦乐乎。大量的户外活动使女儿的平衡协调能力发展得非常好。现在，她的乒乓球打得也很好，可以说是个小小的运动健将。除此之外，她工作起来也非常专注，老师说她总是自己摆放好工作毯，自己选择喜欢操作的教具，工作很长时间。

在家里，我也尽量给孩子提供一个良好的家庭氛围。从女儿出生到现在，我和爱人从不当着孩子的面吵架，有分歧我们也是趁孩子不在家的时候解决。女儿在家尽情地、充分地享受着母爱、父爱。

女儿连做梦都在笑。有一天夜里我清楚地听到女儿在梦中喊："菠菜跳舞，菠菜跳舞……"然后在梦中咯咯地笑！都说梦是潜意识的表达，女儿潜意识里都是欢笑，这令我特别陶醉，特别幸福。

女儿喜欢画画。她画的小蜗牛、小星星、水果皇后、小太阳、铅笔、橡皮……所有的东西都是笑的。她的世界充满了欢笑。

在一个宽松、自由、充满爱意的环境中，女儿成长了9年。无论在幼儿园、在国际学校小学班还是在家里，她都自由地、快乐地做着她想做的事情。这就是她不生病的秘密。

（丁淑红）

＊孙瑞雪：

来我们学校体检的医生说，我们的孩子和同龄孩子相比，平均身高高出6厘米。

如果说这里有什么秘密，那就是这篇文章的题目：快乐的孩子不生病。当孩子的精神得到极大的满足和发展时，他全部的生命能量都释放出来，用于身心的成长。我们都知道，过大的压力和情绪的长期压抑能严重侵害我们的身体，降低身体对疾病的抵抗力。这些压力和压抑甚至能造成我们的基因突变。医学界已经有了定论：恶性肿瘤的形成和一个人的精神状态有着密切的联系。

第8章

孩子应该怎样学习

接受了传统教育的孩子适应“爱和自由，规则与平等”的教育吗？家长和学校如何配合？孩子应该怎样学习？这些年来，以孙瑞雪为首的幼儿教育专家团队就这些问题做了很多探索，也积累了一些经验。本章收录的是孙瑞雪老师和薛梅老师一次精彩的对话内容。谈话的教学背景是和普通园合作办学。

令人担忧的现状

孙瑞雪老师（以下简称孙）：“咱们和普通幼儿园合作办班有一段时间了，今天详细说一说这些班的情况。”

薛梅老师（以下简称薛）：“我发现很多家长忙于自己的事业，跟孩子在一起的时间很少。另外，很多孩子好像没有尝到过自由的感觉。不知道自己该干什么，事事听老师安排。”

孙：“你是说过去孩子做什么都是由教师安排的，现在把自由给了孩子，孩子却没有自主的能力？”

薛：“是这样。”

孙：“那他们的敏感期明显吗？”

薛：“我刚来的时候，发现这些孩子对食物最敏感，食物的需要量很大，是心理层面的需求。我还发现家长普遍认为孩子越听话越好。有个孩子，他妈妈是搞幼教工作的，整天用她肚子里的知识教育孩子，这个孩子的敏感期刚出现，就被家长压下去了。”

孙：“这种孩子多吗？”

薛：“不少。我们班的孩子，大部分都两三岁，正是一些敏感期开始出现的时候，但我从他们身上没有看到明显的表现。”

“我们班有个孩子，不会说话，但能发出字音，比如‘ɑ’这个音他能发出来。‘阿姨’他说‘阿——姨’，‘老师’他说‘老——师’。他以前从来不说活。医院诊断这个孩子大脑发育不良，语言机制也由此受了影响。”

孙：“那你怎么看呢？”

薛：“我认为是心理原因，当初这个孩子来的时候我就分析过了。刚来时他一句话都不说，1 个月后，别的小孩下楼梯喊‘一二一’，他也突然跟着喊‘一二一’，但就喊了这一次，以后再也没有喊过。一天我让他穿鞋，他就不穿，并说‘不，不’。”

孙：“那你分析过他的生活环境吗？”

薛：“分析过，主要原因是没人跟孩子沟通。这孩子是由老人带的，老人 70 多岁，没有精力或者说没有兴趣跟孩子沟通，是一位沉默的老人，他从不跟孩子说话。实际上，这孩子智力发展和秩序感都没有问题。”

孙："为什么秩序感和智力都没有受到破坏呢?"

薛："老人虽然不说话，但从不限制他的活动，他有很多自由啊。"

孙："现在他的情况怎么样?"

薛："有进步。那天早晨吃早餐，他不想吃，只想玩。我对他说：'今天你要想喝牛奶，我就喂你喝。'我刚要过去，他突然冒出一句：'自己喝。'好像他从来就会说这句话似的，只不过发音不够连续。我跟他说：'你对我说好。'他就说：'老——师——好。'以前他都在模仿别人说话，但那天他是自己说出来的，我特别激动。"

孙："你认为孩子们的问题主要出在哪里?"

薛："最大的问题是父母对孩子的关心不够，给孩子的时间太少。其次，父母不知道孩子需要什么，他们特别爱给孩子讲道理，不知道怎么回事。他们固执地用他们的观念要求孩子。我总觉得北京这个班的孩子挺"成熟"的。"

孙："这个成熟是什么意思?"

薛："孩子都特能察言观色。"

孙："让人忧心。大城市的父母因为压力太大，很多把孩子送回老家，和孩子几乎没有沟通。等把孩子从远方接回身边，孩子和大人都丧失了沟通的能力。更要命的是，大人以为说教就是爱孩子，就是沟通——这一点在知识分子身上表现最明显。"

薛："没错。我们班和李燕老师班上各有几个孩子，都有轻微的孤独症。这几个孩子的家长都是高级知识分子。"

如何学语文概念

薛："我们班的蓝玉，2岁11个月的时候特别喜欢看《西游记》。有一天我们在外面玩，他问我：'薛老师，什么是大步流星?'我说走得很快，又很着急的那种样子。他说：'噢，我知道，就是大步往前走。'不完全准确，但他起码理解这个意思。我当时给他表演了一下，他马上就理解了。"

孙："你这个方法很好。知道孩子为什么焦虑吗?是一种无法深入了解语言内涵的焦虑。在小学，甚至在幼儿园，老师就在用概念解释概念。而对孩子来说，基本概念要通过感觉去理解。

"传统的教育通常认为学习就是学书本上的知识，形式上是这样，但只有词语和现实联系起来，才是本质上的学习。有一部分孩子‘学得很好’，但细细考察会发现他们都是记忆力好的孩子。记忆当然重要，但学习的本质不是记忆。”

薛：“大部分学校都是这样的。不允许孩子有一个自己的空间和学习的过程。只想让孩子学习所谓的知识。”

孙：“对那些孩子来说，所有的知识都是大人教的，他们没有一个自我创造的过程。别人创造他们。这是不正常的。在他们看来，学习就是学书本，考试就是考书本，书本成为一个世界，与现实生活无关。但我们学校的孩子只要学了东西马上就在生活中用。孩子主动找实事去应用，按蒙特梭利的说法就是：‘他所形成的所有的一切都是他自己创造出来的。’这样的东西才能沉淀下来，组成孩子的人生。”

薛：“成人的东西就都是错的吗？”

孙：“成人的东西无所谓对错，但只要他一教育儿童，那肯定是错的。因为他忘了，儿童拥有一套独特的跟这世界联系的系统。教孩子就会让他失去自我。失去自我的人肯定成为别人，他会很痛苦。没有人想成为别人，这是永远不变的真理。成人要用爱帮助孩子成长，而不是代替他成长。”

薛：“解释概念主要有两种方法，一种是罗列，比如解释‘杯子’，就把具体的杯子罗列在后面。另一种方法是用概念解释概念。解释驴子，就说驴子是一种像牛像马的、能叫出又大又长的声音的动物……孩子能理解吗？不能。”

孙：“了解概念主要通过这两种方法。我们主张用前者。什么是核桃？不要解释，把核桃给孩子，他立刻就知道。但是你要是解释：核桃是一种植物，有很硬的壳……孩子没见过，能了解吗？现在所有小学老师用的就是后一种方法。后面这种方法可以用，什么时候用呢？在孩子掌握大量的正确概念时才可以用，这至少要到小学四、五年级左右。比如杯子、桌子、床、狗、马……这很多的东西儿童已经通过实物、通过生活掌握了，这时他就能用这些概念去理解另一些东西。最基础的东西不能用语言去理解，而只能用实物去理解……儿童的认识规律，特别像编撰一个真正的好词典。里面一定要有图，那是词典里基础的东西，是儿童阶段的东西。这个词典要解释‘马’的时候，不用语词去解释，而是画一个实物马，用实物的图像定义了‘马’，就可以用‘马’这个词去定义‘马鞍’，再定义‘马鞍形’。

“词典里不用图会怎样？就会用词典里的一些词去定义另一些词。什么是金属？金属是金银铜铁等。什么是金银铜铁？金银铜铁等是金属……这样就陷入了一个逻辑循环的困境。这个解释那个，那个解释这个，最后转了一圈，怎么也解释不清楚。

儿童不是成人。儿童对实物的基本感觉和表象正在建立过程中。一些教师和家长对儿童说很多话，用话语教孩子，这是不对的，甚至是危险的。”

薛：“这是成人和儿童在认知方面最本质的差别。”

孙：“你知道，薛梅。通过语言，就是用概念解释概念的方式教孩子，使一个孩子学习的进展速度看起来非常快，正好满足成人的虚荣心。

“其实概念跟概念的联系是儿童自己完成的，不需要成人的帮助。三至四年级时，语文课就专门有解词这个练习。比如‘徐徐——风吹过的样子’，这是一种感觉，应该把孩子带到风里去体会。

“再比如‘水漫过小桥’，小孩问‘漫过’是什么意思？我当时就说，把水倒满了就是漫过了。其实这是‘溢出’，我讲错了。后来我这样讲：大海边，海水慢慢涨上来，漫过了海滩上的贝壳、沙子。但我依然觉得孩子还不能掌握，于是我就想，完全可以在一个盘子里摆上一些东西，比如玩具桥呀、房子呀，用橡皮泥捏出一条小河，灌满水，水灌满以后就开始溢出，桥、房子都漫过了。那是一个情境。从这个实验儿童立刻就会知道‘漫过’是什么。”

理解力与写作文

薛：“为什么你给高琴迪、张继深读《天鹅的喇叭》时，他们两个非常喜欢听？但是给小学其他孩子读的时候，那些孩子不太爱听。”

孙：“那些不爱听的孩子是因为大量的概念没有建立。

“什么是建立概念？比如，有报道说在非洲发现了一个类人猿的头骨。所有的人都认为这是一个幼年类人猿的头骨。但是我们从这个头骨上能够看出，它已经弥合得非常严实了，不可能再有任何的成长，这可能是个成年类人猿化石。琴迪就问：‘什么叫弥合？’琴迪的能力在于他能抓住话语中他不懂的概念。但是其他的孩子，你怎么说他好像只是听着，但抓不住概念。他不知道哪个概念他不懂，他对世界没有一个清晰的感觉和认识。”

薛：“张老师的孩子上三年级，她说孩子搞不清同义词，老师让他找出‘高兴’的同义词，他却找出了‘憎恨’这个词。”

孙：“噢，那就是因为概念问题。老师要让孩子抓住概念。比如你问高琴迪：

‘你有什么特长？’高琴迪会反问你：‘什么叫特长？’他知道这句话里他哪个不知道。但其他孩子不知道，他听懂听不懂都抓不住，他没有这个能力。张老师的小孩写同义词却写了个反义词，显然他对同义词、反义词的概念不清楚。蒙氏教育出来的孩子自己能抓住概念。”

薛：“对儿童来说，感觉是最重要的。”

孙：“有篇课文：‘秋天来了，树叶黄了，一群大雁向南飞……’为什么不把这篇课文放在秋天的时候讲？把孩子带到郊外、带到公园去看。

“我们过去总在说，首先是感性认识，然后再是理性认识。可是在现实中我们常常又颠倒了。总是先从书本上学，用理性去认识，然后再感性认识。比如说秋天那篇课文，就被排到冬天去了。

“那年秋天，我特意让琴迪观察树。观察后他给我描述：‘噢，树叶突然往下掉，然后树叶就开始旋转，然后就俯冲。’我当时觉得他描述得真好，然后又带他到落满树叶的地方。琴迪说：‘老师，我们的脚踏在树叶上，脆脆的。’然后，我们走到街上，琴迪又发现白杨树树叶落在地上，地上花花的。琴迪那篇写秋天的作文是这样写的：‘秋天来了，树叶从树枝上突然掉了下来，旋转着俯冲下来。我们走在树叶上，发出咔嚓，咔嚓的声音。树叶落到地下像画画一样。’他的老师说：‘我不相信孩子能写得这么好。’实际上，儿童对秋天的感觉和对秋天的观察远远超过成人。只有成人会麻木，儿童不会。”

耐心等待孩子成长

薛：“很多家长特别注重孩子的智力，总想让孩子聪明，更聪明。”

孙：“实际上我们早就发现，只要是正常的儿童，当他心智到了那个年龄，他就会有那个年龄孩子的正常智力。是大人把这个扭曲了。”

薛：“其实特别简单，成人只需要守护着、等待着他心智的成长。这是最主要的。”

孙：“儿童的智慧是天然的，让他不受打扰地成长，比成人有意塑造好得多。儿童用他的感觉系统认识世界，所学总能同他的生活联系起来。只要他所学的东西跟外界事物配上对，儿童的智能就会得到发展。如果小学6年，从6岁到12岁，孩子一直是在这样发展，那他成长起来后就不得了了。”

薛：“目前的主要问题是怎样把我们的小学办好。”

孙：“是啊。传统的一些理念太根深蒂固了，不管是受过多年爱和自由教育训练的老师，还是大学刚毕业的学生，一不小心就用自己成长的经验来教孩子。”

薛：“这就是您寻找一个新模式的原因。”

孙：“是的。一个新模式！这个新模式要让知识跟现实紧密结合，知识就是现实，现实就是知识。要让孩子因他自身的发展而充满创造性。人内心所有美好的情感都要被唤醒，要借助某些活动被唤醒。我们成人并不知道到底是什么活动唤起了儿童的感觉，但我们要去做，做一次就给孩子多一次机会。一旦这种内在的东西被唤醒，在生活中被运用，它就固定在了孩子身上，这就是儿童的潜力。当他长大成人，环境、氛围、机会一旦来临，这感觉就会从他心中腾飞而起。

“你还记得不？琴迪特别喜欢玩那个叫淘金的游戏。我发现他玩到一定水平，就开始设计程序，不断设计，这就是一个再创造的过程。但这有一个前提，那就是他的内在兴趣跟外面的东西配上了对，而且固定了下来。一旦这样，创造力就随之而来。

“但大部分儿童没有这个机会往深里走，因为成人不给这个机会。儿童只有不紧张的时候，全身心地、放松地去玩的时候，才会把所有的注意力放在配对的外界事物上。所谓‘心有灵犀一点通’就是这个意思——当他内在的东西跟外在的东西配上对，刹那间他的心智就会有飞跃。这种机遇越多，儿童的心智就发展得越快，他的创造力就越强。

“但是这里头有一个神秘的过程——儿童是如何把它转换的？这个奇妙的过程在大脑中完成，儿童自己使用这个转换机制。但是我不知道成人该如何把握这个机遇，所以我经常看琴迪玩游戏。我发现这个过程非常缓慢。别人看来琴迪是在某一天突然开始设计程序的，但我知道通向这一天的过程非常缓慢，而且孩子不能有压力。一有压力，他的感觉就没有了。

“当孩子能够把他的感觉跟世界配对，他就开始拥有两种东西，一是抽象，一是演绎。这样他就掌握了了解世界的武器，他就开始理解概念，创造概念。所有这些都由儿童自己来完成，不由成人来代理。”

薛：“成人的代理对儿童没好处，成人代理的词只是给儿童一些联想，儿童对成人给他的词进行另外一次联想。”

孙：“儿童也会使用成人直接给他的概念，如果成人不断地强制孩子，不断跟孩子说，儿童也能很快使用成人的这套语言系统，只是这套语言系统和孩子的生活没有关系。

“琴迪学拼音的时候刚开始特别慢。我都着急了，怎么会这么慢？后来我发现，他一旦掌握这个规则就开始到处用。你叫他：‘琴迪吃饭。’‘b—u，bu！’他用拼音回答你。开始学写字了，有段时间他怎么都不会写，我就教他写半个字。写了两个晚上，他发现了规律。这个规律是他自己发现的，这下好了，所有的字他都分解。他问我：‘这个字是什么字？’我说：‘腰。’‘噢，这边是个月，上面是西，下面是女字。’他把这个字的分解掌握了。他用这个分解过程整整用了3个月。成人可以在5分钟内把规律教给他，孩子自己用几个月发现秘密，后者是儿童的智慧，一点一点沉淀在儿童身上。”

薛：“我们班梁义就这样。把‘他’以前一直叫‘我也’。后来有一天我给他讲故事，他说：‘薛老师，这个字不是我也，是他，以前我弄错了。’那会儿他刚3岁。”

孙：“你知道，所有的儿童在认识新的事物、在掌握事物本质的时候，都有一个过程。超过他心智水平的东西他记不住，他只能记住和他的心智状态相匹配的东西。但过一段时间，他会突然发现新事物和他已经掌握的东西之间的差别，这种对差别的认识说明儿童的认识能力在逐渐上升。但这之前成人不能着急，要等待。”

薛：“我们班文文经常一个人说话，而且是说一些不好的话。有时听他说话真会让你莫名其妙，因为话语完全没有同情景和环境配对。他在家也这么说——‘打死你’‘小王八蛋’‘小背篓’等。我们班孩子没人说这些话。我问过他妈妈，他妈妈说孩子以前在舅姥姥家待过，可能老家的人这么说过他。这些话已经成为他的潜意识了，现在精神一放松就使用这个潜意识。当然，这是放松了的表现，自然是好现象。”

孙：“越小的儿童，所说必定跟所做直接相关，要是不相关，问题就来了。人格的分裂就是从这里开始的。”

薛：“我有个朋友，她的行为是一个模式，语言是一个模式。你跟她接触就会发现，她说归说，做归做。”

孙：“你知道她是分裂的，她的言行心没有合为一体。这种人格状态我们先不以好坏来论。但是你会发现，当人的语言、行为、思维三者合为一体时，这个人是稳定的，有力量的。对不对？”

薛：“是的。”

孙：“你看，三位一体的这个人必定是有自我的。我的意思是，这个人必定是通过自己建构自己。我们常说：让我们成为我们自己！这就是第一点。第二点，按照蒙特梭利的观点，专注力是解决一切问题的最好方法。因为这三样东西合为一体时，一个人的力量、能量就集中到一点。这样一来能量加大了，对事物的理解也就深入了，就能对这事物进行新的创造。

“如果所思、所做、所说这三样分裂开来，一个人的能量必然被分散，他就可能神游。神游是什么？当薛梅你在讲一个问题的时候，我会紧紧地跟着你的语言和你的思路走，比如你说到这个杯子的时候，我也在想这个杯子，或者我会想这个杯子到底怎么回事，我就这个问题往更深里走。但是人格分裂的人，当你说到杯子的时候，他想的可能是花生，而且思路虚无缥缈。这样的人不可能集中精力，不可能专注。”

薛：“北京下了几场大雪，一下大雪我就带孩子们出去玩。别的班的老师说太冷，怕孩子们感冒，可冬天本来就是寒冷的。孩子们刚开始不敢玩，也不会玩，我和张老师就带着他们打雪仗，让他们抓雪，感觉雪。我们班有很多玩沙子的工具，我全拿出来让他们铲雪玩，孩子们越玩越高兴，最后都拽不进教室去。”

孙：“玩雪就是认识雪，看一棵树就是认识一棵树。面对一个自然的世界，孩子把自己的身心投放进去，去感知它的美妙。玩大概是孩子感知世界的最好方法。这不仅仅是认识雪，这么一个快乐、勇敢的过程，绝对也是帮助孩子建立人格的过程。”

薛：“我喊其他班的老师（传统教学的班级）赶快带孩子下来玩，趁着操场没人，让孩子们第一个踩下脚印。等我转一圈回来，发现那些孩子还在楼上。老师说外面太冷。”

孙：“重要的是老师的情绪。学校的教育思想不一样，再加上老师懒一点，他肯定选择让孩子们在教室里待着。对孩子要有感情，这是最重要的。要不这个教育搞不成。

“孩子玩得越多，投入得越多，越能建立同世界的沟通关系，这种关系奠定了孩子未来从事什么的基础。

“人们总认为在书本上看九大行星就是掌握了天文知识。然而，儿童一旦感知到某一世界，他的世界因此也扩大了，这种人类精神领域的认知会给儿童带来喜悦。这个扩大的世界就建构起儿童的人格。”

薛：“其实我觉得学习不仅仅是为了学习知识，它更是建设人格的一个工具。”

孙：“是的，当你用实物、用现实、用生活教儿童时，儿童学会的不光是知识，他更掌握了学习对象的本质。儿童首先想掌握本质，本质一旦掌握到手，他就开始把本质运用在各个方面。但是，这种孩子在小学很少看到。这种孩子有一个特点，他掌握本质的过程一开始很慢，但是会越来越快，到成人的时候就会变成一种潜意识，对本质的理解力会像闪电一样快。”

我要感谢

文 ◎ 孙瑞雪

如果这本书对您、对您的孩子有帮助，我想要代表您对以下的尊者表示感谢。

首先我要感谢中房公司银川分公司的王爱全先生和他所在的公司，没有他的远见卓识，这个教育就没有实施的场地。在我心中，它不仅是一处校舍，更是我们实现教育理想的精神家园。我们在这里寻找着教育的真谛，发现着孩子的秘密，并和孩子们一起成长。

我要感谢我的大学同学，感谢我的朋友们。我永远记得那一幕：学校创办初期，他们有的拿出现金，有的搬来桌子、褥子、棉布、球、洗衣粉……鼓励我说："做吧！这是一件有意义的事。"是他们给了这个教育最先的帮助。

我要感谢十几年前第一批送孩子来这里的家长。当时，还没有多少人理解这种科学的教育理念，他们坚定地将孩子送来，并从此和我们同呼吸共命运。他们给了我最高的道义上的支持。

我要感谢北京、广州、上海、昆明、西宁、郑州、武汉的家长们……尤其要感谢小欧、缇缇、丹丹的父母和豆豆的妈妈，他们从各方面给学校帮助，在精神上给予了我们巨大的理解和支持，这种支持给了我们希望和信心。

我要感谢全国各地的同人和那些给我写信、从未谋面的朋友们，当你们在千里之外关注远在宁夏的教育，并为此而热情传播时，我们知道所有的付出是多么有意义，多么值得。

我要感谢十几年来一直坚持这种教育理念的每一位教师以及在此期间离开的教师。感谢王瑞君、安长喜、薛梅、李燕、段武宽、党小琴……还有许多许多位老师，是他们把自己从未经历过的理想变成了现实，为此他们付出了他人难以想象的爱心、耐心、时间、精力、青春、挑战和战胜自我的勇气，才使许多孩子受益。

我要感谢校委会的成员，他们在学校之外的不同岗位上工作，利用业余时间义务为学校工作长达10年以上，没拿过一分报酬。对他们的感激，我难以言表。

我要感谢孩子们，我如此的爱他们、崇拜他们、小心翼翼仰视他们。是他们的成长给了我们战胜困难的决心，是他们引领我们回到了心灵的故乡，给了我们无尽的爱和满足感。当千万个孩子从这里走出，我知道，未来的人生路途坎坷，该经历的他们都要经历，但是我不担心——一个人格完整的人，在任何一个社会环境中都能找到自己的位置。

我要感谢包哲兴、吴东枚、刘明忆、杨利霞，他们为这本书的编辑和设计工作做了许多努力。感谢出版社，在他们积极、认真地工作下，这本书以新的面貌与读者见面。

最后，我要感谢您——亲爱的读者，如果这本书能使您更爱您的孩子，就请您把这份爱带给您见到的每一个孩子。这样，我们的孩子就有了一个爱的环境，这样长大的孩子，将来一定会勇敢、坚定、乐观、充满自信，拥有这样一个孩子，幸福会像空气一样包围着我们。